海外漢文古醫籍精選叢書・第三輯

2011—2020年國家古籍整理出版規劃項目
2018年度國家古籍整理出版專項經費資助項目
中國中醫科學院「十三五」第一批重點領域科研項目
——我國與「一帶一路」九國醫藥交流史研究（ZZ10-011-1）

蕭永芝◎主編

衛生要旨

〔越〕裴叔貞 纂

雜症門科

〔越〕佚名氏 撰

刺絡編

〔日〕荻野元凱 撰

5

北京科學技術出版社

圖書在版編目（CIP）數據

衛生要旨；雜症門科；刺絡編/蕭永芝主編．—北京：北京科學技術出版社，2019.1

（海外漢文古醫籍精選叢書．第三輯）

ISBN 978－7－5304－9993－1

Ⅰ．①衛…　Ⅱ．①蕭…　Ⅲ．①中醫典籍—越南　Ⅳ．①R2-5

中國版本圖書館 CIP 數據核字（2018）第282644號

海外漢文古醫籍精選叢書・第三輯・衛生要旨　雜症門科　刺絡編

主　　編：蕭永芝
策劃編輯：李兆弟　侍　偉
責任編輯：吕　艷　周　珊
責任印製：李　茗
出 版 人：曾慶宇
出版發行：北京科學技術出版社
社　　址：北京西直門南大街16號
郵政編碼：100035
電話傳真：0086-10-66135495（總編室）
0086-10-66113227（發行部）　0086-10-66161952（發行部傳真）
電子信箱：bjkj@bjkjpress.com
網　　址：www.bkydw.cn
經　　銷：新華書店
印　　刷：北京虎彩文化傳播有限公司
開　　本：787mm×1092mm　1/16
字　　數：210千字
印　　張：17.5
版　　次：2019年1月第1版
印　　次：2019年1月第1次印刷
ISBN 978－7－5304－9993－1/R・2550

定　　價：**580.00元**

海外漢文古醫籍精選叢書·第三輯

衛生要旨

〔越〕裴叔貞　纂

内容提要

《衛生要旨》成書於越南嗣德十九年(一八六六),爲阮朝後期醫家裴叔貞所撰。原書八卷,今筆者僅獲見其第一卷,内容相當於全書總論,重點闡述相關醫學基礎理論;通過此本書前目録及存世的其他幾種鈔本殘卷可以大致瞭解到,本書其餘七卷主要載録臨證各科方藥。書中所論表裏寒熱虚實辨證以及診斷、治法、方藥等,可以幫助醫者理清診療思路,提高臨證水平。書雖不全而頗具辨證論治真諦,值得參考借鑒。

一 作者與成書

筆者所見越南國家圖書館所藏鈔本《衛生要旨》,正文首葉題記「衛生要旨卷之一/英川裴叔貞纂」。可知,本書作者爲裴叔貞。

裴叔貞,生平不詳,名叔貞(亦作淑貞),字惟忠,號恬齋,書齋號養蒙堂,英川人,爲十九世紀的越南醫家。本書卷一增補人身賦中載:「曩因門徒抄從别院……今弟子再携稿求郢……」可知,作者曾收門徒弟子,自成一家。撰有「《衛生要旨》八卷、《醫學説疑》一卷、《會英醫門》二八卷、《初

試便用》三卷」。❶

關於本書的成書年代，卷一脉法纂要之四言脉訣撮要部分載：「合纂《纂要》《金鑑》《脉學》《馮氏醫學》等書，而增補潤□，以便初學誦讀」「自知濫越得咎於作者，而貽好事之嘲。雖然，補其未備，不過爲一門寓□之私想，亦爲伐者容也。辰丙寅季秋之六日英川裴淑貞志」。文中的《纂要》指《醫學纂要》，清・劉淵編撰，初刊於乾隆四年（一七三九）；《金鑑》即《醫宗金鑑》，清乾隆年間吴謙領銜編纂，於乾隆七年（一七四二）正式刊行；《脉學》係李時珍《瀕湖脉學》，撰於明嘉靖四十三年（一五六四）；《馮氏醫學》即《馮氏錦囊秘録》，初刊於清康熙六十一年（一七二二）。在作者所引四書之中，以《醫宗金鑑》刊刻最晚，《衛生要旨》的成書不可能早於該書刊成的乾隆七年（一七四二）。以此推算，裴叔貞所言「丙寅」年，最早可能是一七四六年，還有可能是之後的一八〇六年或一八六六年等。

又考裴叔貞所撰《醫學説疑》一書，書首有「醫學説疑序」一篇，序末落款爲「嗣德甲寅孟秋下浣英川居士裴叔貞恬齋自題於所居之養蒙堂」。❷「嗣德」乃越南阮朝翼宗英皇帝阮福時、恭宗惠皇帝阮福膺禛、協和帝阮福昇時期的年號，前後共計三十六年。「嗣德甲寅」即公元一八五四年。由此推斷《衛生要旨》卷一記載的「丙寅」年，相對於一八〇六年和一九二六年，最有可能是一八六六年，即嗣德

---

❶〔日〕真柳誠．ベトナム国家図書館の古医籍書誌［J］．茨城大学人文学部紀要「人文コミュニケーション学科論集」，二〇〇六（四十五）：一〇八．

❷〔越〕裴叔貞．醫學説疑［M］．年代不詳鈔本．

十九年。

據日本學者真柳誠在越南國家圖書館的考察，他所見到的《衛生要旨》其中一個鈔本書中有「越南成泰庚寅年（一八九〇）裴叔貞（云八十老人）自序一葉……」❶。若成泰庚寅年裴叔貞時年八十歲，可大致推知其生於一八一〇年前後，則《衛生要旨》中的「丙寅」年亦當爲一八六六年。

綜上，《衛生要旨》八卷，爲越南阮朝後期醫家裴叔貞所纂，成書於嗣德十九年（一八六六）。

二　主要内容

筆者所見鈔本《衛生要旨》存卷一至卷五目録，且正文僅見卷一。今謹據前五卷目録述其主要内容如下。

第一卷，包括辨症（證）玄詮、治法大綱、脉法纂要、增補人身賦四方面的内容。

第二至第四卷，爲雜症。卷二包括風寒、客感、瘟疫、暑、濕、黄疸、消渴、燥結、咳嗽、喘、哮吼、癆瘵、遺精、淋、赤白濁、癃閉、小便不禁、疝氣等十八種病證。卷三載録頭痛、頭眩、面、眼目、耳、鼻、唇、口舌、牙齒、腰痛、項肩、背脊、手臂、脚氣（附鶴膝）、痛風、痺風（附麻）、痰鬱、驚悸怔忡健忘（附恐）、不寐、癲狂、癇症、傷食（附飲）、積聚、奔豚等二十四項。卷四記録痞滿、脅痛、心胃腹痛、霍亂、泄瀉、痢、

❶〔日〕真柳誠.ベトナム国家図書館の古医籍書誌［J］.茨城大学人文学部紀要「人文コミュニケーション学科論集」，二〇〇六（四十五）：一〇八.

瘧、腫脹、氣滯、嘔血、吐血、咳血、唾血、衄血、便血、溺血、咽喉（附聲啞喉哽）、噯氣、惡心、嘈雜、吞酸、吐酸、嘔吐、噎隔、反胃、呃逆、關格、寒熱、汗、痿、厥、諸虚等三十二種病證。

第五卷，論婦人，本卷目録殘缺，僅見經候章目録，包括總論、不調、經先期、經後期、行經腹痛、潮熱、水腫、逆經、經閉、血崩。

據筆者調查國内現存殘卷，本書第六卷述小兒，第七卷録痘疹，第八卷載外科。

卷一相當於《衛生要旨》全書總論，包括辨證玄詮、治法大綱、脉法纂要、增補人身賦四方面内容。辨證玄詮，首先强調辨證的重要性，「醫家之事最近而最切者，辨證而已」，後附驗案四則。治法大綱，「大綱爲分二款，其一卒病暴病治宜以急……其二虚病大病治宜以緩」，提出「虚實諸病之根本也，攻補者治之綱紀也」，又言「攻不可以收緩功……補不可以求速效」。脉法纂要，包括總論、部位解、諸脉本狀、臟腑平脉（附五臟病脉及虚實脉）、脉分男女、脉分壯老、脉要歌、增補通元賦、四言脉訣撮要等九部分内容。增補人身賦，是卷一的主要内容，約占本卷篇幅的一半，主要以歌賦形式載述臟腑經絡、養生、診斷、病機、治法、處方用藥等方面的内容。最後爲「人身賦所引方」，題爲「廣輯諸方備用」，共收録醫方一百九十九首。本書對方劑的著録方式有兩種：其一，第二至第八卷會出現的方劑，在卷一僅簡記該方方名及其所在病門，如「四苓散客感……參蘇飲風門……二陳散痰門，理中湯寒門」；其二，若係第二至第八卷未收之方，則在卷一詳述該方方名、藥物組成、煎煮服法和主治病證，如「金鑽（鎖）思僊丹蓮蕊、蓮子、芡實各等分爲末，金櫻膏和丸，每梧子大。每三十丸，空心鹽湯下。治男子嗜欲過多，精氣不固」。

卷二至卷八主要記述各科病證的治療方藥。例如，卷六小兒撮口病載有千金龍膽丸、二角散、蝎消散、治撮口方、保生湯、瀉黄散等六首醫方。每首方劑録其藥物組成、煎服方法、主治病證及加減運用，如，「千金龍膽丸龍膽草、鈎藤、柴胡、黄芩、桔更(梗)、赤茯、赤芍、甘草各半分，大黄一分，蜣螂一枚去翅足炙。爲末，棗煎湯下。治兒初生内身熱、臍風、撮口。一方無蜣螂，加參、芎，煎服，治同。」❶

綜上所述，《衛生要旨》全書八卷，後七卷詳述内科雜症、婦人、小兒、痘疹、外科等臨證各科的治法、方藥；筆者所見鈔本存第一卷，闡述作者對辨證、治法、病因、脉診、臟腑經絡、養生和處方用藥等問題的獨到見解。

三　特色與價值

《衛生要旨》卷一詳細而系統地記述了作者裴叔貞對人身辨病用藥的個人見解，指出臟腑經絡、陰陽氣血爲人身根本，病因分内傷、外感二端，病機分表、裏、寒、熱、虚、實六類。

作者在辨證玄詮中指出：「蓋人身臟腑十二經絡，其要歸只此陰、陽、氣、血四者，其致病必由内傷、外感二因，其病機不外表、裏、寒、熱、虚、實六要。於此參透，病安遁情。」又「凡醫者當以人身及病因、病機爲綱，殆至臨證辨病，必先察形色、聲音、病情、脉狀，四診參詳，以求其病之所起所在。蓋病變雖多而其本則一，如外感則本於表，内傷則本於裏……但察其何因而起，起病之因便是病本，萬病只此表、裏、寒、熱、虚、實六者而已」，詳細闡述了人身之五臟因外感風、寒、暑、濕、燥、火六邪，與内傷

❶ 〔越〕裴叔貞．衛生要旨［M］．年代不詳鈔本．

飲食七情等各自致病的症狀體徵，病機六要之表裏寒熱虛實各自致病的特點及證候真假鑒別，并附有病案以資佐證。例如，裴叔貞辨證以表裏寒熱虛實爲綱，表則辨風寒暑濕燥火六淫之邪，裏則辨飲食、勞役、色欲、七情；「寒熱有邪氣之寒熱，有臟氣之寒熱，自是懸殊；實有痰食瘀滯及感傷諸邪之實，本自不同，虛有陰陽氣血及何經何臟之虛，原來各別」。文中還詳細陳述了虛中夾實、實中帶虛等證候錯雜，以及虛證似實、實證似虛、真寒假熱、真熱假寒等證候真假的鑒別診斷。

增補人身賦，據賦首所言「此賦流傳既久，醫家多曾諳熟……見其醫理密深，雖不甚闡發，而平常法旨不可背馳，且辭意融活可取。某涉不遠，不知創自何人，然揣其文，諒亦出於儒家筆法，不禁歆羡，於焉校正，就中多有駁換改削刪補」。可知，作者裴叔貞原本得見一種「人身賦」，認爲此賦醫理精深，遂根據自己的臨證診療思路對該賦進行增補改易，首先記述對人身臟腑經絡的認識，然後闡述診法、病因病機，最後記述治法和處方用藥，并附諸方以供檢用。

作者在增補人身賦標題後用小字注云：「此賦中間多説醫人辨病藥治，非專就人身言。題名人身，存舊耳。然醫者之辨病藥治，亦以還治其人之身，則存舊也宜。」可知，作者所增補的「人身賦」并非專門討論人身組成，更多的是記述「辨病藥治」。

在「辨病」方面，如文中載「總病之因只二，或由外感，或由內傷……臨證須求內外爲先，察審病必審實虛爲主。治虛無速法，故氣血陰陽已辨，藥方宜有主持；治實無緩功，即表裏寒熱既明，治法何妨詭遇」。可知，作者在增補人身賦中仍用了較大篇幅來論述病因、辨證和治法。

在「藥治」方面，文中又載「法既辨脉證輕重，治須分補瀉逆從。故宜其清尿四苓，利便八正，固精求金鑽(鎖)思僊，熱瘡服防風通聖，九味主四時風感，疼痛宜敗毒，熱甚麻葛，咳嗽宜參蘇，二陳祛一切濕痰……」，賦中羅列方名多達二百首。如前文言及的「四苓」「八正」「金鑽(鎖)思僊」「防風通聖」「九味」「敗毒」「麻葛」「參蘇」「二陳」，依次指四苓散、八正散、金鎖思僊丹、防風通聖散、九味羌活湯、人參敗毒散、升麻葛根湯、參蘇飲、二陳湯。賦後的「廣輯諸方備用」大致按照賦中方名出現的先後順序詳載方劑信息。裴叔貞主張「藥求中病，豈泥成方，法貴得中，寧拘常度」，賦中除列舉醫方外，還記載大量的藥物主治功用，如「心熱用蓮子，手熱用蒼梔……芥子星半專豁稠痰，蘇木桃紅能消瘀血，川芎主頭太陽痛，藁本主頭巔頂痛」。賦中還載有藥性與組方配伍理論，如言藥物之四氣五味，「味分厚薄，氣別濁清……鹹主軟其性沉，酸主收其性也……祛風者以辛，清熱者以凉，濕寒者以苦温，辨用豈宜相左」；又如論組方之君臣佐使，「主病者爲君，分治者爲臣，嚮導者爲佐使」。由上可知，作者在增補人身賦中以歌賦形式記載了大量的方藥知識。雖然卷一載方不足二百首，但其所述方藥基礎理論系統完備，諸方適應病證涉及臨床各科的常見疾病，基本能够滿足醫者日常處方應用。只不過部分方劑在第一卷未載藥物組成及主治病證，需要參考本書後七卷的内容。

在臨證四診之中，作者尤其重視脉診。例如，他在辨證玄詮中强調「此證候必當憑脉爲準」。又專列脉法纂要一章，其中指出「凡病莫不先見於脉」「脉乃醫家之首務也」「脉狀要認得真，辨病自然不錯。蓋脉氣原於經絡而神明於臟腑。脉認得真，則臟腑如見」。書中用較大篇幅記述脉診内容，尤以增補通元賦、四言脉訣撮要兩部分内容最爲豐富。其中，增補通元賦包括諸脉主病、臟腑脉主病、傷寒脉、脉候順逆、脉病宜忌、女子壯老少脉、鬼神脉、死脉等内容，與本叢書所收越南洪錦居士《脉訣輯要》卷之中保元玄妙賦所載内容相似。

綜上所述，裴叔貞在本書第一卷詳細論述了自己的生命觀（臟腑經絡、陰陽氣血爲人身之本），疾病觀（病因分外感、内傷兩種），診療觀（臨證重視脉診，辨證以表裏寒熱虚實爲綱，治法强調卒病暴病急治、虚病大病緩治），并根據辨證診療思路記載了大量的方藥内容。全書理法方藥齊備，診療特色鮮明，值得中醫臨床工作者學習借鑒。

四　版本情况

《衛生要旨》由越南阮朝後期醫家裴叔貞編撰，成書於嗣德十九年（一八六六），全書八卷。據真柳誠實地考察，越南國家圖書館現存《衛生要旨》鈔本殘卷八種，分别爲署名裴叔貞的《衛生要旨》卷一、卷二、卷三、卷七，以及署名爲裴惟中的《衛生要旨》卷一及卷二、卷二、卷三、卷四。❶此外，中國國内民間尚存有三種鈔本，分别爲殘存的卷一、卷六和卷八。據筆者目前所掌握的資料分析，中越兩國所有殘卷之和亦不足原書八卷之數，其中的卷五至今尚無資料可考。

本次筆者所見爲越南國家圖書館收藏題名裴叔貞纂的鈔本第一卷，今即以此本爲底本影印。此本藏書號「R673」，原裝訂在《脉訣輯要》一書之後，一册。未見封皮，書首葉即爲目録，無序跋。卷首

---

❶〔日〕真柳誠：ベトナム国家図書館の古医籍書誌［J］．茨城大学人文学部紀要「人文コミュニケーション学科論集」，二〇〇六（四十五）：一〇八．

葉題記「衛生要旨卷之一／英川裴叔貞纂」。正文全部用漢文寫成。四周無邊，無界格欄綫，無魚尾，葉面地尾部位標有葉碼。每半葉八行，行二十至三十字不等，小字雙行。文中多用朱點標明句讀，以朱圈、朱綫提示重點。書中偶有幾葉蟲蛀殘缺。學者真柳誠認爲此本是二十世紀的筆寫本。❶

總之，《衛生要旨》为越南阮朝後期醫家裴叔貞編撰，原書八卷，卷一系統闡述了作者對人身辨病藥治的認識，涉及理法方藥各個方面，是其多年臨證經驗的總結，也是作者臨床診病用藥思想的體現。書中有許多精闢獨到的論述，閱讀卷一會有助於現今醫者理清中醫對人體生理病理、診察辨證、處方用藥等方面的認識，使臨證診病思路更加清晰。此外，書中所載方藥也值得現今的臨床工作者參考借鑒與利用。

韓素杰　蕭永芝

❶〔日〕真柳誠：ベトナム国家図書館の古医籍書誌[J]．茨城大学人文学部紀要「人文コミュニケーション学科論集」，二〇〇六(四十五)：一〇八．

衛生要旨内集

目録

27

衛生要旨卷之一

英川裴叔貞纂

辨症玄詮

醫家之事最近而最切者辨症而已而辨症者為最難蓋症有隱顯有真假似是而非間不容髮即如一外感風也而或為頭痛身熱為咳嗽為昏迷為驚悸為搐搦為瘡痒為痛痺為嘔泄之類見之標症甚多隨時或並發或單發固無限定而其本於風則一也然諸如上症而感寒感暑感濕及由傷以見之症亦皆有之

不特一感風症也但風必有風症風脉可憑諸寒暑湿及内傷者亦然（詳見下感傷辨）又如一内傷飲食也而或為頭痛身熱為脹滿為腹痛為嘔吐為泄瀉為懶倦之類標症所形見亦多或单發或兼發亦無定限而其本於傷食則一也然諸如上症而七情勞役房慾及氣血痰欝與外感所發莫不皆有此症不但一傷食然也惟食則有食症可憑諸感傷之然（詳見下感傷辨）可見所因一也而為症最多見症一也而其因亦異他如感風一也而兼寒兼湿傷食一也而兼欝兼勞又感而或挾内傷何項内傷而或挾外感何因先後重輕夾合紛繁

使辨之不明而錯乱誤矣拔寔々虚々損不足而益有餘則輕
者變重重者必死勢所不免故臨症而不潜心細辨必驗其形神
氣色察其病情脉狀旁稽曲引以意酌之以理証之究其証因何
起病因何經何經傳變何脏相乘寒熱寔虚辨須明析蓋凡真
假是非不越乎理故辨明必須達理使心中之理達自有高見遠識
視於無形聽於無声而是非不能蔽其鑑故達理者爲能明辨然
而既確病情之所在則施治必當呼應自灵除重命無醫他病
雖重尚可回生然吾心之理又必証以醫理而辨有所憑蓋人身

脏腑十二經絡其要歸只此陰陽氣血四者其然病必由四偏久
感二因甚病机不外表裏寒热虛實之要於此參透病安遁
情今題其綱如左

一人身兩腎為真陰之水而命門之真陽屬焉是陽根於陰陰根
於陽而為先天之根本其次則心肝屬陽而主血為陽中之陰脾肺屬
陰而主氣而為陰中之陽心主血肝藏血脾統血人在外則血歸
宿於肝肺主氣腎納氣人在臥則氣歸宿於腎脾胃又兼統氣血
而為後天之根本

陽明燥金手經大腸足經胃氣血俱多少陽相火手三焦足膽
太陰溼土手肺足脾少陰君火手心足腎此三經俱多氣少血
太陽寒水手小腸足膀胱厥陰風木手胞絡足肝此二經俱多血少氣
肝屬木其化風其藏魂其志怒其主筋其竅眼其花爪其色
其味酸其臭燥其声呼其氣噓其液淚其脉弦緩而長其數
入旺於春胆爲其腑肝實者兩脇小腹多者疼痛且復多怒
肝虛者目䀮䀮無所視或陰縮筋攣而善恐肝病則目不能視
而面青或怔忡眩暈

心屬火其化熱其藏神其志喜其主血其花面其應脉其竅舌
其色赤其味苦其臭焦其聲言其氣呵其液汗其脉洪緩其數
七旺於夏小腸為其腑心實者多火而多笑心虛者陽虛而多
悲心病則舌不能言而色赤或狂妄倉痒而痛
脾屬土其化濕其藏智與意其情思其主肌肉其竅口其花
唇其色黄其味甘其臭香其聲歌其氣呼其液涎其應四肢
其脉和緩不得見其數五旺於四季胃為其腑脾實者脹滿氣閉
或為身重脾虛四肢不用或飲食不化腹滿善思脾病者則口

不知味而色黄或脾満（腫）

肺属金其化清燥其藏魄其志憂其主気其竅鼻其花毛其色白其味辛其臭腥其声哭其気呬其津涕其應皮毛其脉浮毛（毛者希數之狀）其數九旺於秋大腸為其腑肺實者多上息気逆或為喉喘肺虚者少氣息微而皮毛燥濇肺病則鼻不聞香臭而色白或氣満痿躺

腎属水其化寒其藏精其志恐其主骨其竅耳其花在髮其黒色其味鹹其臭腐其声伸其氣吹其液唾其應腰骨其脉

沉石其效亦旺於冬膀胱為其腑腎虛者多下焦壅閉或痛或脹或熱見於二便腎虛者為之或二便不通或二便失禁或多遺泄或腰脊不可俯仰骨酸痿厥腎病則耳不能聞而色黑

肝生心心生脾脾生肺肺生腎腎生肝

肝尅脾脾尅腎腎尅心心尅肺肺尅肝

医之道本自陰陽五行能明陰陽生尅制化之理則医漸入佳境矣

一而父之因其外感風寒暑溼燥火之類氣但一氣也而所謂之症甚多一之症也而所屬之四氣俱有故辨之不可不審大抵見症雖

暑用而本氣與主之形證原自有辨如風必惡風有汗而光鼻涕手足微傾脈浮而緩弦寒必惡寒而無汗而滲鼻塞手足微冷脈緊或沉緊暑必惡熱煩渴面垢脈虛或洪數而虛（諸感必入裏始渴惟暑則初病即渴以暑傷氣而耗津也）濕必惡濕重著面黃腫滿沉倦脈濡細或濡長燥必口渴皮枯拘急脈浮濇或效火必性急潮盛火炎脈浮數或洪凡有與感不得症如感風必有惡風自汗面光鼻涕手足微傾脈浮而緩或弦定知其為感風無疑矣他倣此要也外感病自外來屬有餘其來必驟其病暴多滯表症手背熱而口能知味諸病有作而無間脈

多緊數或人迎脉緊盛其有相兼多氣或兼內傷何症為治當分多少

內傷飲食傷脾必惡食而胸滿腹疼右関脉滑勞役傷氣傷脾肺之氣必惡勞而懶倦無力右脉多弦色慾傷腎必多動慾而背蒸嗜味尺脉沉數而濇或緊盛陰虛火動故也七情思慮傷心與脾必善忘而恍惚不寐脉沉而結或虛或弦於心脾部見之喜怒傷肺與肝必動氣而痞滿脇噎脉沉濡而濇或弦洪見於肺主憂見於肝主怒恐涓出恐見乙自心傷腎必下焦脹滿而脉沉或濡驚驚自外而來傷膽必神乱怔忡而脉動或散他扣

氣必虛沉倦怠日重夜輕六脉俱沉而弱血必陰虛薰蒸日輕

但重六脉俱濇或芤疾必食少飢渴加故而脉沉失必悸恐潮
盛而脉數以上皆因何項各有皆主脉症但當此辨之必得其真
要知內傷病自內出屬不足其來以漸其病緩多見裏症手心熱
而口不知味諸症間作而不甚脉多沉數或氣口脉緊盛其有相
兼外感何氣當分多少為治
一病機六要凡表者其病只在皮膚肌肉之外而胸腹便溺飲食無見
症如頭痛發熱惡寒腰項脊強諸便自調脉浮而緊是為表症如
無汗為表實有汗為表虛表寒表熱詳後

33

寒熱辨　裏者病見於胸腹便溺之間如煩燥口渴胸腹滿痛二便澁秘脉沉效有力是為裏熱若口不渴胸腹濡滿二便泄利脉沉無力是為裏虛也凡裏症皆因客感表邪傳入或雜病自裏出者是為裏症裏實裏虛詳叙虛實辨　又如半表半裏者其症耳聾脇痛寒熱嘔苦胸脇緊滿脉弦而效凡此幾症不必備但見一二便是寒者陽之類也或為外寒或為內寒　外寒者無熱惡寒而滲声短手足厥逆冷鼻息往來氣冷脉浮緊而遲內寒者唇紫舌卷不渴引衣卧多蜷足身重難於轉側　大便泄利小便清白脉細沉微要知

寒者虛乙多熱者多實以標本分之則寒為本而虛為標熱為本而實為標標治當從本
熱者陽之類也或為外熱或為內熱外熱者發熱惡寒面光亮手足溫
鼻息往來如常脈浮洪數內熱者唇乙者焦舌燥煩渴撤衣身輕易於轉側
大便秘硬小便赤澀脈沉數實
實者邪氣之實也實必兼熱如煩熱躁動秘澀滿渴狂譫一切陽症
而脈洪數有力者為實且熱陽實者多熱惡熱陰熱者痛結而寒
氣實者氣必喘粗而聲色壯厲血實者血必凝瘀而且痛且堅又有臟寔見前
虛者正氣虛也虛必兼寒如沉倦息微溏泄不渴靜蜷一切陰症而脈

無力無神者爲虛且寒陽虛者火虛也爲神氣不足爲眼黑頭眩或多寒而畏寒陰虛者水虧也爲亡血失血爲戴陽爲骨蒸勞熱氣虛者聲音微而氣短似喘血虛者肌膚乾澀而筋脉拘急又五臟虛症見前

以標本分之則實爲本而熱爲標虛爲本而寒爲標治當從本○實虛見前者於五臟屬五行見也

凡醫者當以人身從病因病機爲綱追至陰症辨病必先察形色聲音病情脉狀四診參詳以求其病之所起所在蓄病變是多而其本則一和外感則本於表內傷則本於裏病火者本於熱病冷者本於寒和有餘者本於實正不足者本於虛但察其何因而起起

病之因便是病本蓋病只此表裏寒熱虛實六者而已然表則辨
其何感之表裏亦必辨其何傷之裏寒熱有邪氣之寒熱有臟氣
之寒熱自是懸殊實有瘀痰食瘀滯及感傷諸邪之實本自不同虛
有陰陽氣血及何經何臟之虛原来各别是本中更有所以為本如此
即欲求之必須明人身之病自何生合病机之本属何症則毋以為本者
可見矣探得病本然後用藥若見有未的寧為少待再加詳察必期
以我之一心洞病者之一本既得一真萬疑俱釋病根既探治必精專豈
復有今日寒而明日熱之無定乎其或本屬兼見而為病者必分多少

35

而兼治之，又或初病不~~即~~治，及有誤治而不愈者，必致病延日多，無不皆從本處生出，最不可逐件猜摸，只當因此因而直取其本，則所生諸病無不隨本皆退矣。蓋不但是也。病有虛中帶實，實中帶虛，虛者元氣本弱，而胸腹有積滯脹痛，及年老或產後而病見頓熱秘渴，又或其人本虛而邪氣不能解，有不得不攻者，凡此必察脉症，有可勝攻與否而權宜斟酌，或以攻為補，或以補為攻，或用攻而兼補，或用補而兼攻，或先攻而後補，或先補而後攻，必得其補瀉于微甚可否之間，斯為善矣。病有虛症似實，實症似虛，及真寒而假熱，真熱而假寒，似實者如因內傷七情酒色饑飽勞倦及先天不足或元氣大傷及其爲病爲多身熱便秘或濁陰脫氣上乘胸次而爲脹滿症似有餘而其因由於不足所謂至虛之病反見盛勢也似虛者如病外感邪氣未除伏留經絡或飲食積脏腑或鬱結不散或頑痰瘀血停留病久致羸羸勞倦無力似乎不足而其因由於有餘所謂大實之病反有羸状也

峻削

假熱者如氣稟虛寒偶感邪氣或迕於酒色勞傷或誤服寒涼以致裏寒盛而逼陽於外或陽虛不斂而浮越症見身熱煩燥面赤或氣促咽痛二便秘澁此水極似火而真寒而外假熱所謂熱在皮膚寒在脏腑

悪熱非熱寔陰症也

假寒者如傷寒熱甚失下以致陽邪亢極鬱伏於内而身反寒冷四肢厥冷

神氣昏沉狀若陰症此火極反兼水化熱深而厥亦深所謂寒在皮膚熱

在骨髓悪寒非寒明是熱症也　此等假症若辨認不真誤治必死凡

遇此症候必當以脉為準蓋寒熱虛實之要難逃乎脉寔熱者脉必沉

滑有力虛寒者脉無力必重按無力無神或虛微弱再參以脉狀及神情氣色

而證之如似寔者胸雖滿而按之則濡便雖閉而腹無脹急假熱者身雖熱而

引衣自蓋口雖渴而飲水不下其神情氣色皆必昏憒沉倦脉必沉遲

微弱或浮洪數大而重按無力無神此即内虚寒而外假實熱症也當急用溫補以回陽若過投寒凉克伐必死似虚者人雖羸弱而内有鬱滞二便或見結濇假寒者身雖冷逆而不欲近衣掌心或辰微溫其神情氣色必紅好滑光潤脉必沉滑有力此即内實熱而外假虚假寒症也急用其凉藥清利若誤用溫補必益其病其有虚實難明寒熱難辨亦宜權用探法如上其若虚而未決則以輕淺消導數味先以探之投而不消即知其為真虚矣上上其若實而未決則以甘溫純補數味先以探之補而覺滯即知其為實邪也假寒者畧溫之必見煩躁假熱者畧凉之必加悪嘔或以冷水少試之假熱者

服後見滿而或見嘔假實者服後反快而年或逆探得其情意自定矣病有似是而非者如腹痛一症誰不曰此腹痛也非氣血或爲蟲食所致而豈知其爲胃癰乎癃閉一症誰不曰此溺澁也非膀胱之熱即肝氣之強而豈知其爲腸癰乎咽喉微痛飲食難下謂之水逆上衝雖其知不信而却非病也頭目眩暈不能坐立謂之痰火上逆誰謂不然而乃蟲病也諸如此類豈易辨哉（略舉此數症以爲權變作机各有案辨在後又附惡寒非寒一案）凡此諸般病情變幻以及異症難明書或不載其類雖多然皆非陰陽氣血或生或寒熱虛實或變雖外之假象或雜見而難分而內之真其情爾現而

莫掩惟智者察之耳故必有慧心之全洞在前兆慧眼之明照於內外
方不為其所眩故曰達理者為能明辨耳

附案 有一婦人年外三旬病被腹痛每將痛時有氣自下而上則痛起其痛
似蝶蛇咬狀余診其脉帶流利帶效而右関弦盛帶芤余自思腹痛
雖甚亦陣々疼痛而已何却一處痛疼如物咬狀惟有癰疽結膿時痛
者方如此余即辨其為胃癰但日已久膿必已成乃用牡丹散服三劑而愈

有一婦人病小便不通其小腹並兩足股內相牽痛甚呼號不堪如此並將
二月余往診諸脉俱弦数而右関独勝再令人按其小腹微硬似塊重

按更加痛甚余曰此必膈症也乃用大英湯服二三湯而愈
有一婦人年交五旬慣有蛾喉於食時偶作以手探入喉中振之即愈如此
二三次其脏本寒或有卧感其家自用五積散二三湯痊愈再用八味調
理以此為常後適於食時亦患蛾症亦用手探而愈後效纔見咽痛飲食
稍難醫或以為熱或以為虛火上衝用八味之類痛更難嚥或以為肺脹投
以清肺病更加甚余自診之覺其形色言語雖倦而神情清爽六脉沉微
而緩帶數而勻其咽痛之外別無他症余曰宜勿藥自愈主人强余余仍
用硼砂兒茶為末合病者口含津液嚥下外用菉豆為末調鷄子清塗

喉間又用生附破故搗爛塗足心勇泉穴三五日後即愈

余方看書忽然頭目眩暈腹中自有悶意不能起坐目不敢開身不敢轉

側腹憒了數吐而不能四肢亦煩因思此必虫有不安而然遂以烏梅啖之

津液嚥下即愈

附案 有一老归前來患寒雖夜日亦困複衣足不

敢履地凡有病則用九八味全眞一氣附子理中之類方有退減後因省親

途間泥濘脫履而行及回惡寒之症轉甚余診其脉兩手清冷似厥其脉

則沉小而緩滑有力問其症惟有惡寒難堪飲食如常餘飲之每挹水二大鉢

飲後亦安然消化余因知[illegible]極熱而身反盡寒遂言此病乃反照見化似甯

黄連揀選由堪而愈

治法大綱

病有陰陽虛實治有逆從反正自古臨症辨治莫存不拘泥惟求病之所起所在而從爲調之必期藥病相應以救人之命愈人之疾而已況病人之情誰不欲速爲稱心医者之治誰不欲捷效爲能事第病有輕重緩急豈容一律視之必當因緩急而緩急之方爲得中之治故大綱爲之分二類其一卒病暴病治宜以急卒病如爲風寒暑濕外感暴病如爲脹滿便閉吐瀉及卒中卒厥之類一辰驟然而作（内吐瀉卒厥二症稍屬於虛然急病每當急治又凡屬新病治當急治者從症酌之）凡此中卒寔邪

症候，隨症患為施治，惟求速鮮速愈為宜。若延之緩，則非病不姑待頃刻
變生，即養成其勢，反以難制。故或速辣散鮮利，或寒熱攻補，必究所因，用
一對奪病之藥。投藥之先緩後峻，及病則已，隨後轉換方治，或調理餘病，或培
固根本，隨宜轉換，不可拘執黏滯。邪為病，邪既退，豈可窮追？故藥當隨機
換轉。書云：治無過方，亦無巧法，此之謂也。其二，虛病大病，治宜以緩。虛者，人身之
氣血陰陽及何經何臟之虛，或稟先天之不足，或由斲喪而致虧。大病者，
五勞七傷之極，及羸損瘦弱，病體纏綿，纏年累月。他如大積大聚，亦得謂
之大病。由積聚一症，雖是實中兼虛，並久積難除，必須緩治，或補而兼消，或補用湯藥，消用丸
藥，期以歲月，若欲速而用消攻，多致變為腫脹危候。又凡屬久之病，當緩治者，隨症酌之

凡此虛弱衰乏之症，當隨病之所屬，緩以調之，不計日月，但使虛處復元為度。若欲速而
亂投，則不惟不能成功，而且變為他症，難治者多矣。故或補陰陽氣血，或補本臟之虛，或
大力之藥日夜補接，使藥及於病，填足虛空，方能必痊。故既得病本，用一藥以始終之，則力
純而效大。凡治虛病，難期速效，本病既得，補藥使投，無論有效雖不效，而仍然不增，亦放心用之，稍久者，始見
成效。大虛者有用至三十五劑，亦宜仍然如故，切勿疑慮，只照原方治之，有用至百餘劑者。
藥力既純，效功自大，補力既足，病自復元。其常用此法治人者屢矣，但用藥亦當斟酌，必擇甘溫純正之藥，可
久服而不至損胃者用之，如補陰無如六味，補陽無如八味，補氣則養榮，補血則歸脾，為最切也。
慎勿隨意換轉，反至南轅北轍，徒棄前功。且病之本一而已，治其一則百病消，治其餘則頭緒愈多，
益增別病。書云：治虛無速法，亦無巧法，即此謂也。此二者有如冰炭，治則想懸第，或不明辨，或執
偏見，偏於攻解寒涼者，每欺溫補，使臨卒暴致斃常多。若虛而誤攻，則虛因攻而必敗，是從

从井而救石之見傾危偏於甘温滋補者每畏寒涼使治虚大成功可必若實而過補則實隨補而自[illegible]牢是猶火上添油勢將愈烈今之因偏致害者比比或見之矣古云緩則治其本急則治其標標者實邪也本者正氣也蓋標本指正邪而言邪宜祛除正宜安撫即緩急之義也臨症者當先辨此若遇卒暴之病察其何邪犯在何經或由四氣鬱傷或挾頑痰死血食滞氣逆究邪之所在攻必從之勿使風而祛寒祛濕血而攻食攻痰是謂克伐無速虚虚之禍旋踵至矣遇此虚大之症察其陰陽氣血何傷勞傷虚損何虧究其虚之所在補必從之勿使陽虛而補陰補血氣既弱而調勞調傷是謂補益有餘實實之禍反掌見矣此攻補之機最不可苟其虛實諸病之根也攻補者治之綱紀也倘實重於虛則攻其實攻但可用於暫

若屢攻未有不致損者故攻不可以收緩功虛重於實則當補其虛補乃可用於常若舍補未有
能復元也故補不可以求速效又或養正而邪自除或祛邪而正始復爲或因攻爲補或借補爲攻故
曰醫之臨机應變猶對敵之將操舟之工自非從容取中安能不失于度然此審權達變總不外
知一本於陰陽虛實也書曰醫家臨症以病机淺易必審察明了既標本彰明必心
翼翼了明矣慎矣必以精詳操獨斷之權毋以疑懼致因循之弊庶使此症端蜂起而
線索井然變現多危而持机不乱此非知本之至者乎既得其本則不獨攻補適宜
甚或上病而治下下病而治上或病同而藥異病異而藥同逆從反正之施左右自逢源也
經曰知其要者一言而終不知其要者流散無窮尚望君子一爲留心焉

脉法纂要

脉者陰陽之寔体氣血之波瀾人身只此陰陽氣血故凡病莫不先見於脉縱症或有
形而机則已動蓄氣血盛脉必盛氣血衰脉必衰無病脉必正有病脉必乖有諸中必形
諸外是脉乃氣血之神、和正之鑑也夫脉之所以神其用者皆元神上衝鍾而主宰其機臟
腑精花而発現其体症動息而有準斷吉凶而有是矣医家由脉以辨病之氣血陰陽寒熱
虛寔是脉乃医家之首務也藏能探求脉理得手應心達陰陽於指上則隔垣可以洞窺病
主真假不殺本根直探命藏否決死生神得先机之見故皆精而寔之若鬼謀而神告
信不誣矣今畧舉其要以便試語

42

郭信鮮

左寸心部也其候在心胞絡得南方君火之氣脾土受生肺金受制其主神明清濁其應為己身及遷移

右寸肺部也其候在肺與膻中得西方燥金之氣腎水受生肝木受制其主情志善惡其應為父母及妻子

右二部所謂上以候上也故凡頭面咽喉口齒頸項肩背之疾皆候於此

左關肝部也其候在膈肝得東方風木之氣心火受生脾土受制其主官祿貴賤其應為功名及福德在女主父母

右關脾部也其候在脾胃得中央濕土之氣肺金受生腎水受制其主財帛產業又為田宅在女主夫君

右二部居中所以候中焦也故凡脇〻筋腹背之病皆候於此

右尺三焦部也其候在腎與三焦命门小腸得扎天方一相火之氣脾土受生肺金受制其主陽氣之專元夫為兄弟及奴僕

左尺腎部也其候在腎與膀胱大腸得扎方寒水之氣肝木受生心火受制其主陰氣之專元夫為疾厄

兩二部所診下以候下也故凡身於腰腹陰道及脚膝之病皆候於此

左心心胞肝膽腎膀胱大腸以候陰血之盛衰又左手関前一分為人迎肝胆之位以候六淫所傷（六淫者風寒暑濕燥火也）及起居失宜感冒辰行不正之氣凡脉緊盛者皆為外感皆為外感有餘之症

右肺膻中脾胃命门三焦小腸以候陽氣之盛衰又右手関前一分為氣口脾胃之位以候七情所傷（七情喜怒直憂思悲恐驚也）及房欲動作勤苦與飲食失節

凡脉緊盛者皆為内偏不足之症

諸脉本狀 脉狀要認得真辨病自然不錯蓋脉氣原於經絡而神明於臟腑脉認得真則臟腑如見故曰精於脉者不飲池上之水而操隔垣之明

浮按不足舉有餘沉按有餘舉則無遲脉一息剛三至數来六至一吸呼滑似纍珠来往疾濇滯往来刮竹皮大浮濡指沉無力緩比遲脉快些兒洪似洪水湧波起實按愊愊力自殊弦若張弓弦直勁緊似牽繩轉索初長脉過指出外位芤兩頭有中空踈微似蛛絲容易斷細線往来更可覓濡全無力不耐按弱則欲絕有無間 濡於中分得之弱於沉分得之 虚雖豁大不能固革如按鼓最牢堅 革於浮分得之 動如轉豆無来往慢數仅辰逹指端伏潛骨裏形方見絕則全無推亦閑短於本位猶不及促急来效暫派形寬

結脉緩辰来一止，代脉中止不自还，疾行急疾七八至，牢形弦實而沉看牢於沉分得之

脏腑平脉 附五脏病脉及虚實脉

平脉者各部之本部也，輕以取腑，腑重以取脏，諸陽脉為腑，諸陰脉為脏，然陽中有陰，陰中有陽，浮亦有脏，沉亦有腑，故取脉有權，不可执一也

足厥陰肝沉而弦長，足少陰腎沉石而滑，足太陰脾中和而緩，足少陽膽弦大而浮，足陽明胃浮長而濇，足太陽膀胱洪滑而長，手少陰心洪大而散，手太陰肺浮濇而短，手厥陰心胞浮大而散，手少陽三焦洪大而急，手陽明大腸浮短而滑，手太陽小腸洪大而緊。凡肝弦心洪脾緩肺濇腎石，俱要中和，太過固病，不足亦病，太過者脉来弦實是也，病在外；不及者脉來虛微是也，病

44

在中凡六部中有何部独得太過不及之脉者為病本位所謂独乖者為病也虚藏肝

詩云心喜洪来急促傷肝弦長好短沉殃命宜沉滑慊微小肺貴輕浮忌緊弦

腎部要沉防伏絶脾宮宜緩忌弦長弦洪毛石詳辰候六部三関仔細量又云浮

数為餘主外因心餘燥渴肺乾津肝常脇痛又主身痛氣逆脾胸滿腎主腰疼又主髓精也

命弱頻又主陰動失遺精又云沉微不足内多傷心主煩驚肺喘殃肝骨筋疼脾冷積

腎腰膝痛命虚溏凡浮数洪大弦長之類為有餘沉微细弱濡濇之類為不足

脉分男女

男子以陽為主兩寸之脉旺於尺者常也若寸反弱尺反盛者

是男得女脉為不足乃腎不足也女子以陰為主兩尺之脉旺於寸者常也若尺反弱

寸反盛者是女男得脉乃有餘乃上焦有餘也不足固病有餘亦病所謂太過

不及也左得之病在左右得之病在右男子得陽氣多故左脉盛女子得陰氣多

故右脉盛順陰陽所以順男女也凡病而兩手脉有不看者男子左旺於右女子右旺

於左雖不看而順也若男子脉右手偏旺於左女脉左手偏旺於右是為逆也病輕者亦遲延重者必死

脉分壯老

老弱之人脉宜緩弱若脉迭旺者病也少壯之人脉充宜豐

若脉迭弱者病也然猶有説焉老者脉旺而不燥此天稟之厚引年之叟也名曰壽脉若

脉燥有表無裏此孤陽也其死近矣壯者脉細而和緩三部同等此天稟之靜清

逸之士也名曰陰脉若脉來細而勁直前後不等可與之決死期矣

脉要歌一二

脉有三部部有三候逐部先尋次宜総究左寸心□火位脉宜流利洪弦左関肝膽弦而且長尺肾膀胱沈静称良右寸肺金之主輕浮充暢爲宗脾胃居於関部和緩胃氣常充右尺三焦連命沈滑而實且陰隆四時相代脉狀靡同秋微毛而冬石春則弦而夏洪滑而微浮者肺恙弦中兼細者脾殃心病則血衰脉小肝症則弦緊而長大而兼緊肾病奚康寸口多弦頭而何曾舒泰関前若緊腹中定是癥殃恙則風上攻而頭痛緩則皮頑痹而不昌微是厥逆之陰數爲虧損之陽滑則痰涎而胸膈氣壅澁孤血少而背轉疼傷沈是大背心之氣洪乃腸痛之妨○若夫関中緩則飲食必少滑實[illegible]

前熱小弱胃寒逆冷微細食少脹彭衛之虛者逆候氣之滯者脉當左関得之兮血少右関弦急兮勞傷洪實者血結之瘀邪逆緊者脾冷之殃。○垂扣尺部洪大則陰虛可覺或微或澁便濁遺精漫數火動沉伏水停實不小便淋澁症浮虛足膝瘡痍生弦緊上腰痛而下脚弱浮芤男尿血而女漏經沉數陰虛火動沉遲藏冷精清微細氣虛腰痛弦弦陰疝耳鳴。○緊促形於寸此氣滿於心胸緊弦見於関斯痛攻乎腹脇兩寸滑數兮嘔逆上奔兩関滑數兮蛔虫內囓心膈留飲寸口沉潜腹脹或癥関中促結左関弦緊掀筋脉之拘攣右関滑沉因食積之作孽。○脉体須明脉証須徹浮為虛實顯沉乃

寔而兼洪滑者多痰氣因失血濡散總因虛而冷汗弦緊其[illegible]而痛切
洪則燥煩遲為冷烈緩則風而頑麻寔則脹而秘結澁兮血少而寒長兮簡要
悲短小病必陽虛堅弦患乎滿（痛切）急伏沉痛痺伏藏細弱真元內傷結促惟
虛續斷代之變易不常緊急或孫濡痢緊弦癥痞相彷效則心煩大（則）病進盛
氣高下盛氣脹大是血虛之候細為氣少之羔（患）浮洪則外症（堪）推側沉弦為內痰
斟量陽氣兮吐衄之重陰氣兮下血須防盛滑則外疼可（別）利寔緊則內痛多
傷弱小澁弦為久病滑浮效痰是新殃沉而緊弦痃癖痛內脉来緩滑胃热宜涼
長而滑大者酒痰浮而緩豁者湿傷堅而疾者為癲遲而休者必厥洪[illegible]而[illegible]

洪大而疾則發狂，緊滑而細為噎膈，脈洪而疾令因熱結以成癰，脈微而濇今若斯中而脫血，陰陽皆浮，故知浸漏之根；弱尺寸俱虛微，賊精血之耗竭。

增補通元賦

欲識病因，須參脈訣，表裏性道，博之各有其名。遲數浮沉，約之總歸四脈。浮屬者，洪長芤實；沉屬者，微弱伏虛。遲類兮濇結緩，濡數類兮緊弦滑大。兩手三關之嘗識，三部九候之嘗知，更審脈形以驗主病。辨芤緊痛，洪實熱生，芤血浮風，遲微寒結，沉見多因氣痛，滑來正是痰涎，濇精敗，弱精虛，緩是類，麻濡自汗，代氣衰，細氣少，伏為閉格，故心煩大，大病進而虛主驚，動因血脫，促熱極而結為積疾，是陰消。此段言諸脈主病

五臟脈情平者[illegible]乖者是

病不拘何脉有力實而無力虛心部宜洪而忌細洪吉細凶脾宮宜緩而[illegible]緩平

弦病肺脉浮平沉病腎經沉吉伏凶肝貴弦長不宜伏短合宜沉滑切忌遲微心盛

為有餘（必胸滿頭疼而喜笑）心虛為不足心怔忡驚悸而舌強小腹腸弦腹脹焦乾小腸細氣寒虛

結肺浮氣結盛病為喘嗽痰涎肺伏氣虛病主咽乾氣短大腸實無特刺

痛大腸虛連日泄瀉肝部洪弦為實決目疼耳重頭旋肝經沉伏為虛決

目暗筋攣息矽胆盛內煩而多睡胆虛不寐而效驚木弦八土宮腹脹肢

痿身重水沉居土位腸鳴嘔逆虛膨胃實腸胸胃虛飧泄腎經脉

盛有餘溺赤陰虛而欠動腎部脉虛不足耳鳴腰痛而精遺膀胱盛兮小

便不通膀胱衰兮小便頻数右尺弦洪数是火動精遺命门沉濇弱微陽
衰便泄（此段論脏腑脉主病）重論傷寒之脉須參內外之因表熱方甚脉忌沉微汗下既
行脉防燥疾陽症見陰脉者死陰症見陽脉者生陽脉和浮数洪弦表寔者汗
之為要脉陰者和沉遅微弱裏虛者補之為宜沉而伏者回陽浮而緩者和
解脉見数沉有力裏熱宜涼脉来稍寔有餘裏寔可下神门脉有力病雖危
猶有可生四神门脉不来病判此必是不治（此段論傷寒脉神门 此命门前一分是也）重和脉症順逆可皆
以貴者相合相生可患者相忌相尅由虛病係不足宜禁数浮洪外来病属有餘
忌見沉微細弱新暴病浮洪者順逆則沉微久虛病沉弱為宜諸弦数

症有餘而脉不足病雖輕亦是難調症不足而脉有餘病若重必然甦（此段言脉候順逆）若夫雜病可以例推泄瀉勞傷宜浮緩不宜急實癲狂霍乱利浮洪不利沉微一切潰癰不宜數大萬般痰病最忌伏沉心疼切戒浮洪頭痛須防濇短肢痿筋馳忌數莫堪腹痛心疼遲微難治痢身熱而脉洪者是逆休煩而脉細難當偏風正風痺風癮風三十六風最嫌急實吐血衄血噴血下血一切諸血只怕浮洪遺精者痰急難調消渴浮虛可畏浮虛宜自汗急數難痊細數順於淋遲虛必死喘急不宜濇短咳逆厭見遲微病在外脉濇爲殃病在中脉虛必殆腹中癥瘕久最怕脉虛傷寒熱深豈宜脉靜（此段論脉病宜忌）

一若論归人宜之殊男脉血旺則尺滑氣衰則寸微右若大乃其常尺数者為有孕

尺浮洪者為男两男定是两洪於尺部尺沉细者為女两女須两细於尺宫

四五月而紧数来其胎必漏六七月而微细見此孕易傷至月浮洪必益难

産臨期促数宜是出生老人之氣血既衰宜沉细而慊浮大童子之形骸未備

七至抵而五至寒（此段論女子壯老少脉）若論鬼神須詳脉状乍来乍去止是有邪似骨[illegible]

舍不能生怪心宫浮数必瘟瘴疫癘為殃肝部数来必木怪祟妖為孽情伏

於水神煽庵焦短為厨灶與妖脾宮可来去無非常神祠土地肺部浮狐洪靡

逆厲鬼召灾（此段論鬼神脉）细推脉理可决死亡浮而数沉若年名釜沸鱼翔之怪

逆〻點燚羞霄號蝦遊雀啄之奇〻怪〻敗三奇逆〻敎七極八脫九名必死古歸
墓太衝之脈不來命隨奄忽神门之脈已絕命在須臾玉論死期須覔魁賊脾
本發而脈見弦強不和魁土死於春甲乙卯寅肺宜濇而脈來洪放火盛鑠金
应於夏丙丁巳午二者舉之為例他臓倣此而推

四言脈訣撮要　今彙纂要金鑑脈学蔓氏医学皆書而增補潤删以便初學誦讀

脈為血脈氣血之先会于寸口臓腑應焉初持脈時令仰其掌掌後高骨是謂関
上関前為陽関後為陰陽寸陰尺先後推尋左寸屬心胞絡同謀左関一部肝胆相应左
尺大腸膀胱及腎膻中與肺右寸之根脾胃二脈右関所存右尺小腸三焦命門

一婦人子脈從兩尺謚左大男宜右大女順男尺恒虛女尺恒盛關前一分人命之主
左為人迎右為口氣氣口脈大主食內停人迎脈大主風外因神門決斷兩在關
後人無二脈病死不愈脈有七診曰浮中沉上下左右消息求尋又有九候舉
按輕重三部浮沉各候五動寸候胸上關候膈下尺候于臍下至跟踝左脈候
左右脈候右病隨所在不病者否五臟本脈各有所管心浮大散肺浮濇短肝
沉弦長腎沉滑軟從容而和脾中和緩四時之應各有平脈春弦夏洪秋毛冬
石四辰百病胃氣為本脈貴有神不可不審太過實強病生於外不及虛微病
生於內飲食勞倦診在右關有力為實無力虛看春得秋脈死於金日五臟準

一推究不失，凡診病脈，平旦為準，虛静凝神，調息細審，脈各異形，分應主
日〔病〕亦有相兼，仔細辨認。浮在皮毛，其病主表。風寒暑濕，感冒之兆。無力表虛，
有力表實。浮緊風寒，浮緩風濕，浮遲風虛，浮數風熱，浮虛傷暑，浮芤失血。沉行
筋骨，其主裏疾。無力裏虛，有力裏實。沉遲痼冷，沉熱〔數〕內熱，沉滑痰飲，沉
濇血結，沉弱寒虛，沉牢堅積，沉緊陰寒，腹痛不休，沉緩寒濕，肤〔腰〕痛為尤。遲脈
三至，為不足〔及〕，主臟為寒，滯痛拘急。無力虛寒，有力冷積。遲沉裏寒，遲浮表冷，
遲濇血少，遲緩濕盛。數脈六至，象為太過。無力虛熱，有力食火。數浮在表，喘咳風熱，
一數沉內火，腸胃熱結。滑行流利，主痰飲滯，滑而沖和，婦為有喜。濇滯往來病

一為血少男主精傷女主胎漏虛浮大軟按之以虛無病主傷暑又為血虛寔脈有力
長大而弦三焦火邪痞滿堅寔長脈過匀如循長竿病主有餘氣壯火燃短脈濇
小不能滿部病為不及氣虛是主洪脈壯大滿指滔匀病主氣盛陰虛火燒微脈
细軟似有似無氣虛血竭陽敗精枯緩脈四至往來和緩有脈相兼方作病斷
如彼繩寒邪之脈无氣虛寒痛連胸脇芤而頭有中间独空病主氣失乘隨部
可通弦如琴弦指下挺然肝風為病心胸痛連革在浮分如鼓革形虛寒
相搏亡血失精牢在沉分大而弦寔疝瘕痛牽陰虛血失濡脈细軟而在於
漏失衰濕襦汗漏精粘弱脈细小沉沉乃得陽陷陰虧真氣虛弱數脈浮

51

死有表無裏命主危亡頃刻之際細脉如絲直軟似微瘧氣旁損血攻精虧伏
脉隱伏推筋著骨陰寒受病元陽衰脫動無頭尾形兼滑數龍雷火炎精（命門）
亡四涸促脉急促數辰一止少（陽）哭元陽食停痰滯結脉於結緩辰一止主積主
虛精乃不繼代脉歇止自有定數病主臟衰（衰）危惡之故疾脉急疾七至八至
陰竭陽亢短期決矣脉之主病有宜不宜陰陽順逆吉凶可推中風之脉却喜
浮遲數大急疾兼見難支傷風之脉陽浮陰弱邪在六經多弦而數傷寒病熱脉（甚）
喜浮洪沉微濇小之症反凶汗後脉靜身涼則安汗後脉燥必身熱必難陽
症見陰脉（命）必危殆陰症見陽雖困無害傷暑脉虛弦洪芤遲為氣消

滑實別瘧當知濕脈濡緩或兼濇小入裏緩沉浮緩在表燥為秋洽脈
多米濇風燥浮弦洪芤虛血涸火熱之脈洪致為宜微弱無力根本已離常
倦傷脾脾脈虛弱汗出脈燥死症可度瘧脈自弦弦致為熱弦遲者寒代
散必絕泄瀉下痢沉小滑弱實大致浮發熱則惡嘔吐反胃浮滑者昌弦致緊濇
結脹者亡霍亂之候脈代切訝厥逆遲微是則可怕嗽脈多浮浮濡易治緊致
而沉死期將至喘息擡肩浮滑是順沉濇肢寒其逆可信滑蒸發熱脈
致為虛熱而致濇小必殞其軀勞極諸虛浮軟微弱土敗而雙弦火炎則致
失血諸症必見芤脈緩小何妨致大為危蓄血在中郤宜牢浮大沉濇而微

反見其寄三焦之脉浮大者生細微短濇形脱堪爲小便淋閉鼻色必
黄致大可療濇小知亡癲乃重陰狂乃重陽浮洪吉象沉患亞殃痼宜慮
滲沉小患寒或但患弦死必不失症病屬肝脉必弦患卑患可生弱
死可立脹滿之脉浮大洪寔者細沉微良医乏術心腹之痛其脉有九
遲細速痊沉浮大遲久頭痛脉弦浮緊易治短濇如逢雖救何清肢腰痛
沉弦澀緊滑寔沉滑易痊兼大者失脚氣有四浮濡致遲脉空痛甚何
可以捧痿因肺燥脉多緩濇弱緊細濡専審於尺數知是氣下手脉沉
沉極則伏濇弱以深鬱脉皆沉或促結代陞部見之驗病所在諸異所

傷寒沉而滑緊急難差虛小則吉其脉々為積六腑為聚寔弦者生沉
細難愈中惡腹脹緊細為良若見浮大邪氣深藏鬼祟之脉左右不
乍大乍小乍數乍遲五疸寔熱脉必洪數微當難差渴者為惡水病
之狀脉必兼沉寔大者淺虛小病深喉痺之脉遲數為常結喉走馬微
伏則殃中毒之候寸尺數緊細微則危旦夕將殞金瘡失血脉宜
虛細急寔數大墮亡休治虛脉乏力或澁或細在左血虛在右屬
氣若或數大重按乏力更兼緊弦其虛已極男子久病驗於氣口脉強
則生脉弱則死女子久病驗於人迎脉弱則死脉強則生老喜反脉常細濡

濇滑大氣痰票風塞遍疽癰之脉浮數為陽遲屬陰症藥要酌量癰疽

未潰洪大為詳若其已潰沉小則良肺癰已成寸數為寔肺痿之形數而無力肺

癰色白脉宜短濇浮大如逢氣損血失腸癰寔塞滑數為宜沉細為宣沉

數無力其死可期婦人之脉以血為主血旺易胎氣旺者否少陽動甚謂之有

子尺脉滑利妊娠可喜滑疾不散胎必三月但疾不散五月可別左疾為

男右疾為女兩疾雙胎專候尺部臨產六至脉號離經浮大難產沉細易

生產　後脉沉更宜小緩寔大弦牢其凶不免血瘕弦急而大者生虛小

弱者已是死形半產漏下革脉主之弱則血耗立見傾危小兒之脉六至為平

洗弦氣積浮狹并驚之經脉候已見源頭奇經八脉不可不求真道
下尺寸俱牢中央堅實是衝脉昭々胸中有寒逆氣裏急疝氣攻心支滿溺失
尺寸浮起督脉可求腰背強痛風癎為憂寸口丸丸緊細是長女子瘕胃
疝任脉可詳寸左右彈陽蹻可決尺左右彈陰蹻可別陽蹻為病陽緩陰
急陰蹻為病陰緩陽急關左右彈是為帶脉帶脉之病主帶下臍之痛精[illegible]
針上至寸陰維尺內針上至寸陽維陽維寒熱目眩僵仆陰維為病心胸痛
苦脉有反關動在臂後別由列缺不十二症候經脉經候病章已昭詳將絶之
脩習責責
脉吏當審量心絶之脉狀如帶鉤來頭燥疾一日可憂肝絶之脉新乃張

54

按難經註應季脾應春肝應夏心應秋肺應冬腎主液腎主聲肺主色肝主臭
心主味脾腎屬水心屬火肝屬木肺屬金脾屬土徵諸色則黃脾黑腎赤心白肺
青肝腎惡寒脾惡濕肺惡燥心惡熱肝惡風發為情則恐腎怒肝憂肺思脾
喜心其味則為辛肺為苦心為酸肝為甘脾為鹹腎其液則為泣肝為汗心[illegible]
為唾腎為涎脾為涕肺夫居中之神氣腎所藏者志脾所藏者意肺所藏者魄肝所藏
者魂心所藏者神常外應於身形脾開竅於口心開竅於舌腎開竅於耳肝
開竅於目肺開竅於鼻名雖分屬六經定亦各主一事脾為四臟稟氣位中州
而司運動之權胃乃六腑大源接咽門而受水穀之味四肢肌肉均倚於脾

自[illegible]涯越得咎於作者而貽好事之嘲雖然補其未備不过為一门富貴之私想亦為識者容也庚寅丙寅季秋之六日英川裴淑貞誌

原夫五行範体之氣成形頭象天而足象地氣為衛而血為榮手得血能攝足得血能行右（左）手足不如右手足之健耳得血能聽目得血能視右耳目不如左耳目之明頭者諸陽之會膻為五臟之精爪者筋之餘齒者骨之餘髮者血之餘毛則稟[illegible]氣[illegible]背者胸之腑腰者髓之腑膝者筋之腑肩則稟於氣而橫生旁行者謂之絡直行者謂之經三百六十有五節（骨）而周天度數而相應一萬三千五百息合一日漏刻之時行紀運所言之自別陰陽相為表裏臟者藏也精氣儲蓄之原腑者府也出

弓弦死在八日。脈弛雀啄人同屋漏，霞彼何以流曲曲之至救脈弛雖何以風吹毛毛羽中

膚三日而號背弛如何去如鮮索來如彈石四日而華合脈將絕魚翔蝦遊

里如湧泉莫可挽擒留医之診脈將決死生熟讀詳思如見古人

增補人身賦 此賦中同多說医人辨病藥治非専說人之身言題名人身賦耳并医者之辨病藥治亦以還治其人之身則存舊也宜

此賦流傳既久医家多曾暗熟是曩因门徒抄從别院偶并書着

承並備未暇裁削經今弟子再携稟來即見其医理究深雖不甚闡發[illegible]

平常法旨不可背馳且辨辞意融活可取其涉不远不知創自何人并攜其[illegible]涼

亦備[illegible]筆法不禁歎羨并於焉校正就中多有較模改削增補救失夲來[illegible]

寸而寸不亦關乎胃心主血而藏神明之所居焉肝藏血而主筋謀慮自出矣
命門主陰火而藏真精三焦貫諸經而運氣血皆十二經之本始氣而管夫其盡
髮腰肺爲百脈之宗主氣而運夫皮毛膚腠理五臟在上陽而下陰六腑雖氣同而形異
小腸別清濁之氣胆則爪甲而行衛榮大腸爲傳道之官膀胱則藏津液而利小水
氣血之多少殊焉經絡之支分本此肺起中焦上膈腋而循肘臂
口魚際腕後大指之側若跟股脊腰胸候舌本更屬胃經肝起大指
循跗踝而繞股陰且布於小腹脇喉目係巔頂之間若踝內脛股前廉
膈右根制脾位心主則挾咽繫目從腋臑而下肘臂廉內學

後亦心脉所行心肫則起心（附）出腋循腋臑而下肘臂（內廉）筋間（掌後兩筋間）掌心亦心肫
（所屬）小腸循腕踝（音話）（手四踝）臂肘內廉以及夫肩胛（肩丁片肯）缺盆咽頰背耳之上為腦
項額巔膂膂髀（股外為髀樞）踝（足外踝）背由足太陽膀大腸歷腕臂肘臑外側以
从夫肩顒（肩端兩角）缺盆頸頰齒（下齒）達鼻（鼻孔）之旁為頰車唇齒（上齒）（維）膀胱（[illegible]）
屬足陽明胃焦則起腕臂（外廉）膻（膻中）膈吏循項背（目外背）及巔膽（胆）則由踝（外踝）膝脇
胸亦繞頰車與耳（耳前後）盖臟（屬）三陰之脉手三陰從陰胸走手足三陰則（從）足而走於
腹中維手（臍）屬三陽之運手從三陽從手走頭足三陽則從頭而走於腹足背（指）氣血謹、
亦有常也經循環不已一身之前後兩側陰陽陞在周流四肢之外二廉（以）達穿都從

起止宜[illegible]人身亦是小天地善乎衛生者人欲淨盡天理昭如禁忌採異人
之訓保養晵素問之書節勞逸以保筋骸不妄既閑於動作避風寒以保軀体有
常尤慎於起居戶妓戒迷心之鴆毒女色戀破骨之斧鋸允酒肉糟漿煎炒炙
焠肥甘燥熱菓菜生冷之物一切勿纂食用勿聽於六天產于冬夏晦弦風雨 57
雷電醉飽勞倦瘡瘐正作之辰俱宜獨宿淫莫犯於四[illegible]
虧而陰有餘附恒念水不足而火常有餘食無過飽飲無過多陽氣順
脾家之運必不妄動欲不妄縱真精充腎臟之備無俟於搬運制伏何事
乎呼吸吹噓不視傷血心久臥傷氣肺[illegible]久坐傷肉脾久立傷骨腎久行傷筋肝

七傷戒而衛生和暢多怒損肝多悲損心多思損脾多憂損肺多恐損腎五損方而肢体
泰舒保全天和今何病之有道遥寺境兮其樂只且茍或調變失宜起居忘節樂身
室溺於常情充己嗜莫師於往哲上士異房中士異床下士異被起居忘節慾之真詮春月晚
卧冬月晚起秋月晚行動止忽養生之秘訣淫聲艷色縱慾無涯旨酒香醪誰能免
服食茍求所欲何患乎走肉走血走筋交合不以其時雖禁於暴雨暴風暴寒暴
熱太勞太逸必損精神過飽過飢俱傷氣血肉氣勝而穀氣滯脾胃何望調和君
火動而相火隨精元未充遺泄金枯水涸遠慮莫防陽德陰虛貪心尚熾風寒暑
溼燥火外則為六氣侵蒸哀樂愛惡憂思內則被七情鬱結病原由是而生藥

得旨等或欲医者亦當念加慎重理妙變通藥性素諳良毒病机詳究初終冬邪
氣所傷五和審定虛徵賊正氣之淫勝為病六淫分暑濕燥寒風歲氣天和慎毋傷伐
天時人病各有合從東南地卑多濕西北地燥多寒各隨水土肥白氣虛有痰瘦
黑血虛有火亦有濕熱四診形容望色聞聲乃當注意問症切脈亦必用功內傷
者手心熱口不知味諸病發作有時兼似神昏語懶外感者手背熱口能知味諸病發[illegible]
舌閒加之氣從聲雄感寒惡寒而疹舌汗而手足清冷感風惡風面光有汗而手
足煩疼濕症患重濕著面萬燥則口渴而皮枯燥結暑症惡熱煩渴面垢大則
性急而潮盛火烘勞傷氣則患勞而倦刀火傷脾則惡食而脹胸思慮因損心脾益

善思而恍惚不寐憂怨致傷肝肺愈動氣而痞噎上衝諸邉感傷須細辨相兼多
寡亦當通一切氣症聲沉倦怠日重夜輕痰症則食少而肌色弱效一血切症陰
熱薰蒸日輕夜重水症則腦硬而下心怔忡木掉風痒須知分別金瘘土濡石
且渾融肝病色青腎病色黑肺病色白心病色赤脾病色黃枯夭燥邪太迭
肝熱口酸腎熱口鹹肺熱口辛脾熱口甘心熱口苦臭原胃火逆衝偏右邊是氣
虛有痰偏左邊是血虛有火病下体是濕盛挾熱病上体是痰盛挾風血
熱妄行錯經而為吐為衄痰涎所聚結核而不腫不紅腫痛責胃熱搖動
責腎虛齒患要思酣酌痒赤由風熱昏花由血少眼血少眼科當審析衷耳

鳴因腎水大旺頭瞎原痰火上攻自汗陽虛盜汗陰虛兼汗係陰陽之俱損氣病曰重血病但重俱重原氣之血不充顏色青者血虛不拘新久鬚髮落者精少通論老童手伸而不能屈病在骨手屈而不能伸病在筋此說最為難當視近而不能遠責之火視遠而不能近責之水斯言大豈鑿空膽病多眠亦有時而冷淚自出脾病嗜臥雖善食而股体不豊肝熱則睡覺目赤胃熱則睡口涎神不寧則聽中忽並驚悸肺虛則夢涉水田脾虛則夢飲食心不足則常夢與鬼交通面腫本風熱相搏噴嚏原氣逆上衝鼻鼽（音九）鼻塞風寒所傷血熱鬱則妄行而作衄耳鳴耳聾水虧所致風熱壅則腫痛而流膿或風痰而眉痛

或熱結而舌卷唇有風胴寒揭燥乾之不一腳有風痺寒痛血軟濕腫之不同者

腰痛者重著如折屬勞常久乃腎虛挾滯咽痛者尋常痰瘡挾熱

急痺乃火盛兼風痰氣聚令肩背作痛風邪侵令骨節極疼腹痛

非只一端連綿為寒不常為熱怕按為實喜按為虛久痛而常處不移

是為死血心痛凡有九種來去為痰痞悶為氣有脹為積卒倒為疰唇

狂而痛是能食是為有虫絞腸謂痛甚如絞而手足厥冷惡心謂見食便惡

而心下懊憹風青寒白熱赤積黃下痢之症今要宜明辨風青寒黯濕白積

混便血之症今當審所從淋瀝虛煩熱邪為患嘈囃狂癎痰火肩齒溺

赤多由於真水之有虧清氣混則大小易位内熱多由於陰血之不足胃火則手心若烘血熱生瘡今或痒或痛逢風發癜今有白有紅色明便燥曰乾黄色晦便利曰濕黄脹亦有氣滿虛軟實堅之異種痰少咳多為火咳痰出咳定為痰咳塊亦有中痰左血右食之殊蹊發有根而痛有常處曰積發無根而痛無常處曰聚其發緩而所患沉深為疽其發暴而所患浮淺為癰痰稠溺赤者為熱癆痰白溺濁者為虛癆若中風癱瘓則左体右体俱不遂按而成凹者為濕腫按不成凹者為氣腫若陰陽関格則上竅下竅俱不通雜症既能理會傷寒益以渾融太陰咽乾自利厥陰煩滿囊捲少陰舌乾

60

燥而口為之渇太陽脊強頭疼陽明鼻乾目痛少陽寒熱嘔而耳為之聾或
火逼而為發斑失血或邪陷而為譫語結胸病有傳經直中之分而陰陽詳在
六經且復辨合病併病之互異症有入胃在經之别而汗下善施立法尤更
明類症雜症之交叢諸候無不隱伏臨時宜究初終總病机陰陽内外感傷
二因為定詳病症表裏虛實寒熱六要為宗外感則風寒暑濕燥火各異
内傷則七情癆役飲食不同表症發熱而脊強頭疼若滿渇閉澀狂譫裏
是外邪深入實症喜動而聲粗氣壯若沉倦息微骨潰虛由元氣不充裏
有寒熱宜細辨虛有氣血要推窮寒症以溺清身冷為憑或身冷而不欲

近衣定是熱畜於內熱症以溺亦身温爲的或身温而引衣自蓋必兹寒伏於中
既即病源而推究更於脉訣以加工三部分遲數浮沉遲者爲寒數者爲熱浮者
爲表沉者爲裏四時辨弦洪毛石弦於應春洪應於夏毛應於秋石應於冬外
感則緊數必見內傷則浮大應逢諸虛寒者虛濇虛濡細沉小短遲須憑無
力爲真若似虛則雖沉細而滑諸實熱者實滑緊弦數長浮大必以有力爲
的若假實定知豁大而空不拘何部独乖即爲病無問諸病脉有胃爲得
中寸関左弱血偏虛右弱氣偏虛陽偏虛而六脉細濇尺部左弱水不足右
弱火不足陰不足而兩手浮洪病見本脉者爲順病逢刑脉者必盡危尺

61

盛寸微上焦之陽分必損寸彊尺弱下元之陰氣其虛法既辨脉症輕重治須
分補瀉逆從固宜其清尿四苓利便八正固精朮金鎖思僊熱瘡服防風通聖
二姿感三淋门
九味主四時風感疼痛宜敗毒熱甚麻葛咳嗽宜參蘇二陳祛一切濕痰燥
結加減杏熱嘔加苓連腹痛枳梗理中五積善治寒邪香茹二香能驅暑
令陰暑者清暑益氣若嘔瀉煩渴則六和十味亭容暑濕為邪浮大者
降火滋陰若熱狂渴閉則解毒三黃可免火淫致病生脉散夏月先防升
陽湯春天預豎除濕勝濕滲濕燥濕行濕皆治濕之真詮省風樂風愈風疎風搜
風總排風之要領順氣湯可療口喎解語劑堪醫舌勁癱瘓有烏順氣亦須

萬寶回春脚氣先独活寄生更用千金續命降氣医氣上心胸拈痛止
痛湿足脛同止噯用六君匀氣何憂痰濕攻冲足喘溷三子養親安處
痰涎壅盛清上補下定吼良放調中疎邪消斑明鏡生苓葉停風濕香蘇
加葱白以均調房劳遇感風寒川芎合玉屛而交併五蒸除五臟火蒸四逆救
四肢逆苓調中治痰火作孽清暈丕能寬痰暈之芦甘桔主風寒失音血風
尤能祛痛風之病散調白朮消渴可痊湯煎门冬虛煩自静痰飲求五飲散
積久則成蔞青黛可加麻痺要三痺湯湿多則川芎伏苓已定六欝開
欝甚覔平和五淋通淋誰云逵倖霍乱者霍香正氣散便閉濁須革薢

分清腸噎者人參利膈丸酒醉要葛花解醒生津活血止渴大經
順氣分消寬膨捷徑散聚正元效劑破癥之力無加導痰化滯
二方消痞之功莫並祛痰益膽驚癇堪除養血寧神顛狂可
定茵陳五苓退疸治腸風則槐角白栢八寶爲極靈節齋四物
除痨攻水腫則澤瀉赤豆五皮爲最猛雄礬解毒通用局方
枳[illegible]寬中最平藥性養胃清脾能除瘧疾殊雄則神截老瘧
瘧不能爲之憂安蛔打蟲最止虫傷靈檳則善殺毒虫虫不
能爲之梗湯名却瘴瘴氣堪除丹號辟邪邪妖可屏連歸屈

痔漏荊防医疥癬胡麻医白癬槐花医癰腫酒歸亦善医萬種頭瘡
枳縮療関格丁柿療呃逆星半療噯氣麯朮療呑酸鷄蘇亦通療諸
般骨硬驅瘟焚辟穢何傷中悪灌進魄立醒消疝氣者烏附順氣狂瞀則
祛外皆之湿痒治下疳者龍膽瀉肝柴青則理陰墜之腫硬亦或止泄三
白逐積二黃諸虛用十全大備補積熱投四順清涼理氣四君氣調而胃泰
健養血四物血盛而陰自彊雙和散均調榮衛十補丸兼補陰陽六味滋左
腎真陰邪火降而鬚髮為之堅固八味壯下元相火脾土温而形骸頼以榮
昌温腎堪資腎冷養肝可助肝傷養胃益胃並療胃寒平胃則主斂

食失節而停積啓脾補脾總医脾弱歸脾則主憂思過度而健忘補心養
心心勞可服潤肺寕肺肺病堪嘗補中主內傷体倦力疲其次則胡勞凝神
調中等劑養榮主中年身瘦氣乏其次則固真還少卻病諸湯二神交
濟補虛最善六君加味調氣尤良壯筋骨宜牛膝鹿茸每試輒效歛陰道
服茯苓玄牡何用弗臧參苓散善調食少蒼朮膏能使生長芎芷除風怯
耳鳴乾結者柴胡瘡濃者犀角甘梗治尋常咽痛風痒者氷梅熱腫者
牛旁薄荷蜜化舌胎尤妙通草丸祛鼻息尤良胃風清胃兼治牙瘡牢
牙則莫若滋陰腎氣清熱洗肝益腎眼疾養眼則無逾育神恒光升麻

湯治風濕虛而面腫當歸飲除血熱而身痒腹熱痛導氣腹寒痛温中
辨宜細審脇左痛疎肝脇右痛推氣用要加詳活絡舒經臂疼堪療立安獨
獨活腰痛可防客熱用小柴虛熱用逍遥心熱用蓮子手熱用蒼梔凡發熱
極忌飲酒自汗用風芪盜汗用六黄食汗用二甘濕汗用製朮凡有汗大
忌生姜柴物退潮机鍼莫測胃苓止渴瀉功用難量下痢以導滯爲
先痢久須補中養臟便燥以通幽爲急燥結當腎氣潤腸丸餌縮泉不憂
遺溺剃香提氣無患脱肛夢遺則秘元飲鎖精丹久滑用神芎枸杞驚
悸則鎮心丸安神飲大恐須仁熟妙香五子衍宗求嗣妙訣八僊長壽

却老神方白雲膏長肉生肌喫丸應無瘦削甘露飲生津止渴服之可保亭康別離散善除邪夢百應丸通治惡瘡嘔血者三黃雞蘇地黃則治血之太甚衄血者四生犀角髮灰則善醫溺血之異常治療既古方可準加須減藥性參詳盡觀諸甘草和中當歸補血人參補五臟而中氣自強黃芪益三焦而表分可達茯苓消痰滲濕若論除風眩而開心益智神力爲優白朮原除濕健脾若論祛瘴疫而發汗寬中蒼功更烈生地寒涼血而清肺熱能解潮煩熟地溫補血而益腎精兼烏鬚髮白芍平肝除血分之諸痛赤則

消瘀血而通月經、玄參補腎濁陰火之無根、丹則調經脉而清煩熱、
沙參善醫火嗽、補五臟陰、苦參神治風瘡、除心腹結攻積寬胸無逾
枳殻、枳實則兼下腸腹、除脾經之瘀結、宜加消痰止嘔半夏、陳皮、青皮
則善逐積、堅肝腸之脹鬱、莫闕芥子、星半專豁稠痰、蘇木、桃紅
能消瘀血、川芎主頭太陽痛、藁本主頭巔頂痛、白芷主頭風眩痛
蔓荊主頭昏目痛、細辛亦可寬一切頭面風痛、若髏、防風主周身節
姜活主百節身疼
疼、獨活主濕痺攣疼、威靈主歷節風疼、秦艽亦可鮮一切肢節牙
疼、似折地骨皮、濁火退潮、天花粉袪煩止渴、神曲、查、芽危消宿食

65

曲曲消菓食查消肉食麥消穀食破積須三稜莪朮柏仁棗志最定心神柏兼益氣斂汗療驚棗兼斂汗安眠

志兼鎮心安神定驚令人多記通竅菖蒲九節止瘡痒蟬退羌蠶蟬兼消風定驚除瘡退翳蠶兼治諸風驚癇

溫疫喉痺定風擒天麻全蝎天麻兼除風濕頭眩痲痺定兒驚通女血消癰利蝎腰膝彊筋力全蝎却風痰口眼喎斜風癇驚搐沉香主轉

筋吐瀉木香主瘧痢腹疼藿香主霍亂嘔噦丁香最能寬呃氣攻

衝草蔻主嘔吐胃寒紅蔻主嘔酸水瀉白蔻主脾積胃翻肉蔻尤能

澁令腸滑脫車前通草利水而且通淋車前兼治眼赤利水而不損氣木通兼瀉小腸熱利竅通經澤瀉豬

苓參濕而兼治泄澤瀉兼降浮火定癇消風者白斂療風治瘧者白薇枚槿治瘡

者白芨葱白則發表汗亦止頭疼清肺除熱者黃芩滋陰降火者黃柏瀉

心除痞者黄連大黄則逐裏邪兼通便結山梔瀉肺火而除目痛溺淋石羔瀉胃火而解頭疼中腸縮砂仁養胃安胎或止停寒口吐消癰瘡更羨連翹牡丹皮平肝活血或清無汗骨蒸解酒渴須調乾葛扁豆清暑止渴消能酒積於腸香茹解暑除煩亦治血出於言烏梅安虫而生津史君殺虫而止瀉檳榔則快氣且能追虫痛積疼木瓜益筋而除痹薏苡舒筋而利腸鈎藤則療驚又可解孪柚析掣厚朴寬脹固無加腹皮消浮爭或歛升麻提諸陽下陷消瘡而更可治牙桔梗載諸藥上升療咳而兼能利咽消癰腫熱若金銀治亂癰無逾木〻鱉爲藥止腹疼香附

閉氣鬱紫蘇葉專踈表汗子更寬喘促皇皇小茴除氣疝益智止溺遺麻黄身專發表邪根善止汗流潑潑荊芥除風清目復除經而引血歸薄荷下氣利喉兼走表而令汗發見壯止咳消痰止嗽亦收瘡口知母則專清腎火能消斑疹勞蒸前胡化痰寧嗽亦治頭疼柴胡則專抑肝邪又止往來寒熱草菓消氣脹而瘧亦除常山化痰癖而瘧可截五味滋金生津止嗽破故紙而納氣歸腎固精之力爲多麥門清肺止咳除煩杏仁溫而潤肺開津聲治喘之功更切百部則療嗽宜當百合亦咳家可啜紫菀款花皆醫久咳桑椹熱渴桑皮寬肺咳身浮乳香沒藥均療諸疼槐實痔瘡

槐花止腸風血泄鼠粘子除瘡消毒風熱咽疼炙姜仁寧嗽化痰傷
寒胸結通疼滯者靈脂鬱金玄胡索艾葉則漏胎崩血可知止吐衄者
茅花犀角茜草根地榆則便血腸風自別栢葉爲嘔吐尿血良方阿膠是
咳嗽痢膿妙訣尿血則蒲黃蘆萊竹葉解煩竹茹是嘔竹瀝祛痰黃
疸則大青茵陳蓮肉健脾蓮鬚澀精蓮藕止血解煩利竅滑石寒涼溫
胃祛寒乾姜辛辣肉桂妙溫中降火若止汗而横行手臂桂枝之性彌良白
附神止痺療風若行經而溫煖命門附子之功最烈鱉甲消瘧母兼治骨蒸
首烏止惡瘧赤烏鬚髮龍骨兎絲功專精滑枸杞善能令陽事興殭杜仲

牛膝力任腰疼續斷足可接骨筋損折桑寄則頑痳腰痛宜疗營萆
薢則濕痺腰疼可喫石斛補腎而乏驚石脂固腸而澁痢龍膽則專（滋）肝
膽善醫眼目醫膜山藥理脾而止瀉山茱補腎而彊陰鹿茸則峻補血精
大治虛勞遺泄鹿茸則秘精彊骨可傳癱腫瘡瘍鹿膠益骨長膱亦
亦療虛羸撲跌眼淚頭風須求甘菊木賊清翳障雲侵目疼肝熱可
用决明羜仁止爛弦風發蜜蒙花青霜子皆醫虛弱（翳）青盲穀精草白
蒺藜俱療翳膜瘡癬防風除風濕脚痛蒼耳治頭昏痺痛芫蔚則
月經胎產女科諸血皆調吳萸專疝氣腹疼胡椒止心腹冷疼蒜薟則

則痲痹膝酸男婦諸風可截蘿蔔下氣消穀腫脹亦寬皂角利竅通
關痰涎可豁胡黃連清熱除疳羚羊角却驚明目青黛則止驚疳消斑
疹效不勝言蒲公英潰堅消腫穿山甲發痘排膿白芷則解癰毒化
痰涎功難盡說瞿脉（麥）利竅而療溲淋澤蘭破瘀而通關節龍眼歸脾
益智澁精求芡實金櫻馬鞭破血通經下氣用蛇床葦撥大棗歸（養）脾和
藥中滿勿嘗生姜止嘔化痰表邪可達況復味分厚薄氣別濁清五
味解通（於）臟氣浮沉升降四時散效法於時行淡主滲其性利鹹主軟其
性沉酸主收而其性也斂甘主緩其行上苦主濕其行下主辛散而其行

情

也横清之清者發腠理清之濁者實四肢本應異用濁之濁者走五臟

濁之清者歸六府不同情補瀉各存所性溫涼別有定衡諸味屬陰本乎

地而成形用純味者靜而能守諸氣屬陽本乎天而化氣用純氣者動

而能行剛猛則可資以道達柔毋悔則可藉以調停祛風者以辛清熱者

以涼濕寒者以苦溫辨用豈宜相左主病者為君分治者為臣向導

者為佐使和合在貫相成反畏不堪同劑報使自有分經欲降下勿兼

升散欲發表須遠酸寒使一味不投則眾善俱棄專滋陰毋犯辛香專

寬脹勿施甘緩若當机錯進則後禍隨萌諸靜者再靜即滅諸動者再動

不亭氣病毋食辛血病毋食鹹筋病毋食酸肉病毋食甘用須斟酌
上實當忌升下實當忌秘上虛當忌降下虛當忌泄辨要詳明法得
宜而用當知忌補須熟而利不嫌生製用酒者取其升提使(者)其取下降姜
者取其溫散鹽者取其軟堅醋者取其收斂蜜者取其益元乳者取其
生血土者取其補中使炮治(製)失宜則功力大減藥用根可〻者以上升用
梢者可以下降枝者可以走肢皮者可以達外心者可以行胸內心(空)者
可以發表實者可以通裏枯者可以入氣潤者可以入血若頭尾誤用則
呼應不靈得宜者則草根木皮皆是神丹卻病失宜者則烹熬枨參

69

煉桂亦爲鴆毒戕生用是知病欲治今法當師古製藥慎無逞巧善斟酌於
炮洗煨炙煆蒸用藥不可執方妙通變於加減穿合摘取輕劑重劑自有機
權奇方偶方不踰規矩通於彼者塞於此病机原不同因宜於古者泥
於今治法豈容膠柱秋冬春夏順天時南北東西隨水土有常有變潛心
之下易道存或守或攻反掌之間兵法寓浮中沉九候須知汗吐下三
法勿誤異症多由痰火險症須尋痰火爲先雜病多是房勞向
病必以房勞爲首後先推究登蹄內外洞知門戶陽不足則先寒陰不足
則先熱兩般要審調停金太過則生燥木太過則生風六氣乃詳揆度

邪火為元氣之仇三焦為元氣之父四經屬火四經屬濕火溢之分可推求先病為本傳病為標標本之治當明悟水升火降者無虞陰秘陽平者必壽陰陽之分細察陰弱則扶陰以配陽陽弱則扶陽以配陰主客之氣參詳主勝則瀉主而補客客勝則瀉客而補主微則逆治甚則從攻邪宜袪除正宜安撫病机有深淺豈宜責效於目前邪氣有速遲不可專拘於日效表裏寒熱要分明新久實虛休莽鹵陽虛生寒寒生濕濕生熱濕熱感而氣身滯浮陰虛生火火生燥燥生風風燥盛而筋痿骨露新病氣壯兮宜急袪除久病氣衰兮當思調護氣不可耗

極血不可大補痰不可吐盡火不降過四語可師風者必表散燥者必滋潤熱
者必清解寒者必溫中六淫何惧壅則宣滯則通陷則提而脫則固外
濕宜汗內濕宜滲感當辨其重輕虛火可補實火可瀉用須求其當否
鬱有達發奪泄折之殊名痰有潤燥散溫清之異路胃氣復則血氣自
止血病每以胃藥收功腎水則升火自降火動貴滋腎陰為主血虛當
益心經血虛宜調脾部欲益精必先補水水旺而精自然彊欲治血必先
理氣氣調而血有所附臟腑穿鑿之論所宜詳陰陽偏勝之机當自悟
或養肺而火亢難制當扶水以制金之危或健脾而飲食不甘而補火

以為土之稱溺涵滋胃的是多言汗多養心（心血）乏為善喻眼痛急除
風散熱痛久則養血之劑可施耳鳴當（先）行氣開閉鳴久宜（則）益水之方宜
取津枯潤肺古法堪稽膈痛疎肝益方可守腰痛不拘老少精衰須責
於腎家牙宣莫論於久新熱積要清於胃脾表熱盛者宜開鬼门（發汗之謂）
下熱盛者宜潔淨府（即利小便）頭痛認兩邊而療治見效如神心痛分九種以調
停其功便做瀉先治濕（理）所必然痛久祛痰勞难得佳下痢有初起稍久之辨初
起宜推逐稍久宜升提傷食有有餘不足之分有餘宜消導不足宜平補養食
心自可鎮驚調氣何难止吐水腫宜補中行湿足矣兼積（之）消方為治脹之

71

灵丹狂症則下痰降火主之兼養血尤爲醫癲之妙手祛風凉血兮可療疥瘡消積行氣兮堪除積聚治濁審清上固下神功寧緩於白時救痿明補北瀉南捷效可期於旦利水洶退疸良方清熱寔通悉淋務麻痺總因風濕踈風流濕更何憂眩暈原屬火痰瀉火清痰寧復苦祛痰火能寬噯氣似膨除濕熱可止吞酸若醋寧肺而咳喘猶甚氣之所藏無以状也當補腎以納其歸元清心而衄吐雖痊血之所流無以斂也宜補脾以引其歸路火有升降要分明熱有温清無錯誤血凝則氣亦滯痰壅則氣亦逆調氣而滯不終解宜思活血開痰陰熱者陽雖斂土虛者陽雖

抑

藏抑陽而熱久不除當顧滋陰補下之而便不利者宜提滲之而溺不通者宜吐濡滿無專快膈膈要知脫氣上乘暴瀉莫禁溫脾須審火邪下注補益慎及於有餘尅伐戒施於無故遂積勿期盡去真元須要調停攻邪且勿追窮根本急宜回顧滋陰爲發汗良規扶正即袪邪要務淫氣湊疾寒熱之藥可攻真元爲病水火之方宜取先天之陰虛滋腎水陽虛補命门後天之陰虛益心肝陽虛溫胃土久病虛羸之症補脾何如補腎之爲尤元陽亡脫之机補腎不若補脾之爲愈水中益火其理不窮陽中求陰其源自裕治小病而舍氣血治大

病而含水火何殊緣木求魚療傷寒則辨表裏療雜病則辨方是應規
合矩熱之不熱真火可求寒之不寒陰水宜顧粥飯本能助胃但霍乱
則不可遽餐補劑雖曰通行惟傷寒不可驟補少壯病淺攻標何疑老弱
病深固本自愈小兒不可過治寔純陽無陰之由老人只宜調和本氣虛血少
之故醫十婦莫難於一兒治十男莫難猶易於一婦總病之因只二或由外感或
由內傷凡人之病不同或人因染襲或因禀受因其人之病遂求致病之原運
此心之机用為應机之具陰盛反煩躁陽盛反厥冷審辨要得其真大虛有盛候
大實有羸形察識毋為所誤臨症須求内外為先察審病必審實

虛為主治虛無速法故氣血陰陽已辨藥方宜有主持治實無緩功即表裏寒熱既明治法何妨詭遇孟子詭遇而獲禽論求速效也藥求中病豈泥成方法貴得中寧拘常度補無助邪攻無損正補攻須及病情緩則治本急則從標緩急要因時措大都邪所湊其正必虛故凡治之法莫先於補苟頤生者知此濟人者知此自然延年不老萬病無憂何必屑屑於養氣以側聽養血以少勞養齒以晨叩養胃以晚起養心以醇酒養肝以弱舞

廣輯諸方備用人身賦所引方

四苓散 客感　八正散 淋門　金鑽思僊丹 蓮蕊蓮子芡實各等分為末金櫻膏和丸每

梧子大每三十九空心鹽湯下。治男子嗜欲过多精氣不固。　防風通聖散 客感

九味姜活湯 客感　人參敗毒散 客感　參蘇飲 風门

升麻葛根湯 葛根升麻芍藥甘草水煎溫服。治四時感冒時行瘟疫

尋症兼治小兒瘡疹及觧傷酒發熱口瘡咽痛

二陳湯 痰門　理中湯 寒門　五積散 寒門　香茹散 暑門

二香黃連散 暑門　清暑益氣湯 暑門　六和湯 暑門

十味香茹散 暑門　滋陰降火湯 咳門　黃連觧毒湯 客感

升陽湯 柴胡益智當歸陳皮升麻甘草黃芪紅花水煎熱服治大便一日

三四次溏而不多有時泄瀉腹鳴便黃

除濕湯 藿香 蒼朮 厚朴 半夏 陳皮 白朮 茯苓 甘草 姜棗煎服
○治寒濕所傷身体重着腰脚痠疼大便溏小便澁

濕門

羌活勝濕湯

滲濕湯 白朮 蒼朮 茯苓 甘草 乾姜 丁香 陳皮 姜棗煎服
治寒濕所傷身体重着如坐水中小便澁大便溏

升陽燥濕湯 防風 良姜 乾姜 郁李仁 甘草 柴胡 陳皮 黃芩 白葵花 水煎服
治白帶下陰中痛控心急痛身黃皮緩身重如山

除濕丹 檳榔 甘遂 威靈仙 赤芍 葶藶 乳香 沒藥 牽牛 大戟 陳皮 為末糊丸梧子大每五
十丸至八十丸食前温水下治諸濕客搏腰膝重痛足脛浮腫筋脉緊急便溺不利

大省風湯 防風 半夏 生甘草 生川烏 生南星 生白附子 木香 全蝎
姜煎服○治中風痰涎壅盛口眼喎斜半身不遂

禦風丹 川芎 白芍 吉更 細辛 羌蚕 羌活 南星 各五日 麻黃 防風 白芷 各壹兩半 乾生姜 甘草
各七錢半 為末蜜丸彈子大硃砂弍錢為衣每一丸熱酒化下日三服治症同前

羌活愈風湯 羌活 甘草 人參 萬芪 防風 蔓荊子 細辛 枳殼 秦艽 地骨皮 麻黃 菊花
薄荷 枸杞 獨活 白芷 川芎 當歸 杜仲 柴胡 前胡 知牡 熟地 半夏 厚朴 防己
生地 石膏 蒼朮 肉桂 芍藥 黃芩 茯苓 姜煎温服治肝腎虛
筋骨弱言語難精神昏憒及風濕体重

疎風散 風門

捜風順氣丸 車前子郁李仁白檳榔火麻仁兎絲子牛膝山藥山茱各弍两只殼防風獨
活各壹两酒大黄五两爲末蜜丸梧子大每廿九早晨臨臥茶酒米飲任下。
膓胃積熱胸膈痞悶二便燥澁
一切諸風諸氣並皆治之

排風湯 白朮肉桂川芎杏仁芍藥甘草防風
當歸茯苓麻黄白鮮皮姜煎熱服
治男婦中風从風濕冷濕邪氣入於五臟令人狂妄語
精神錯亂以致手足不仁痰涎壅盛

八味順氣散。人參白朮茯苓青皮陳皮白芷烏藥甘草姜煎服
治中風中氣之人宜先服此順氣後進風藥

烏藥順氣散 風門

萬寶回春湯 甘草麻黄黄芩防已杏仁生地熟地
川芎當歸人參防風肉桂乾姜陳皮
黑附子香附子白芍黄芪沉香烏藥川烏半夏茯神白朮姜蔥服。治一切虛風胃弱
白朮暖藏氣血凝滯筋脉拳攣痰涎壅盛不可專用氣藥風藥

資壽解語湯 附子防風天麻棗仁官桂羚羊角甘草羌活水煎入
竹瀝調服。治風中心脾舌強不語半身不遂

獨活寄生湯 濕門

千金續命湯 脚氣

當歸拈痛湯 濕門

六君子湯 痰門

蘇子降氣湯 蘇子半夏甘草前胡當歸厚朴肉桂陳皮姜棗煎服。治虛寒上攻氣不工升降上盛下虛痰涎壅盛

匀氣丸 草豆蔻陳皮沉香人參各五錢益智仁檀香大腹子各壹兩爲末飯丸梧子大每八十丸淡姜湯下 治氣虛濁升多噯氣症

三子養親湯 紫蘇子蘿蔔子白芥子各等分微炒微研每三錢絹袋盛之煮湯勿太過令味苦辣口冬加生姜便寔入熟蜜

清上補下丸 熟地四兩 石棗山藥各二兩 白茯牡丹澤瀉五味子天門麥門只寔貝牡吉更黃連杏仁半夏瓜蔞仁枯芩各壹兩半 甘草五錢 爲末煉蜜丸空心淡姜湯下 ○治哮吼症上氣喘氣咳嗽痰涎上壅

調中踈邪湯 蒼朮陳皮砂仁藿香芍藥甘草吉更半夏白芷姜活只殼川芎麻黃桂枝姜煎溫服。治內傷外感而發陰斑

香蘇散

川芎湯

玉屛風散 汗門

五蒸湯 人參黃芪黃芩知生地黃葛根石羔粳米麥門甘草小麥煎服治男婦諸虛煩熱蒸瘵自汗

四逆湯 乾姜附子甘草煎溫服治直中陰症無頭疼

身熱不渴怕寒振慄踡卧沉重欲睡
脉来沉遲無力或無

小調中湯 黄連煎水浸甘草 甘草煎水浸黄連 瓜蔞仁煎水浸半夏 半夏煎水浸瓜蔞仁 各炒水乾爲度四味各等分姜煎溫服或姜汁糊丸服尤妙。治一切痰火及百般怪病

甘桔湯 甘草桔梗水煎服 治陽邪傳少陰寒咽熱痛用此以調和之

血風丸 秦艽姜活防風白芷川芎當歸地黄白芍白朮白茯半夏黄芪各等分爲末蜜丸梧子大每五十丸空心酒下。治産後血風筋攣痿弱無力

錢氏白朮散 渴門

人參門冬湯 人參麥門 小麥茯苓 竹茹白芍甘草水煎溫服。治虛熱煩渴等症

五飲湯 人參白朮茯苓甘草只寔厚朴陳皮半夏豬苓澤瀉前胡桂心白芍旋覆花姜煎溫服。治飲冷過多而成

香附瓜蔞青黛丸 香附瓜蔞仁青黛等分爲末蜜丸食後臨卧噙化治燥痰鬱痰酒痰

川芎茯苓湯 赤茯桑白皮防風官桂川芎麻黄白芍當歸甘草姜煎服。治著痹留住不去四肢麻木拘攣浮腫

六鬱湯 鬱門

五淋散

藿香正氣散 風門

三痹湯 痹風

萆薢分清飲 濁門　人參利膈丸 咽膈　葛花解醒湯 傷食

活血生津潤燥飲　天門麥門五味瓜蔞仁麻子仁甘草當歸
生地熟地天花粉水煎温服。治燥渴症　五皮散

木香順氣湯　木香乾生姜升麻柴胡厚朴白茯苓澤瀉半夏青皮陳皮益智
吳茱萸草豆蔻當歸蒼朮水煎服。治内傷濁氣在下則生䐜氣至夜尤甚

散聚湯　杏仁桂心陳皮附子吳茱赤茯只殼川芎厚朴甘草
檳榔半夏當歸姜煎服。治久氣積聚狀如癥瘕　導痰湯

消積正元散 積門　木香化滯湯 痞滿　追風祛痰丸　槐角丸 痔瘡

抱膽丸　先將黑鉛壹兩半入銚溶化次下水銀弍兩候結成砂子再下硃砂乳香各末壹兩
乘熱用柳木槌研研勻丸如芡實大每壹丸空心井水吞下病者得睡切莫驚動
覺來即安。治男婦一切癲風狂
或因驚恐致　養血清心湯　人參白朮白茯遠志棗仁川芎生地
石菖蒲麥門當歸甘草水煎服治
怔忡

滋陰寧神湯　茵陳五苓散 渴門　白柏丸　白朮五分黃柏生地白芍黃芩
地榆香附各弍 以上為末蒸餅丸

76

服。治濕熱下血不止

八寶湯 黃連黃芩黃栢梔子連翹槐花細辛甘草水煎服。治臟毒下血

清脾飲 瘧門

節齋四物湯 川芎熟地知母天門白芍當歸白朮黃栢陳皮生地甘草炒古乾姜空心姜煎服治虛癆

赤小豆湯 猪苓桑白皮防已連翹澤瀉當歸商陸赤芍赤小豆姜煎服。治氣血俱熱遂發瘡疥變為腫

澤瀉湯 腫門

人參養胃湯 瘧門

枳朮丸 傷食

安蛔理中湯

酒歸飲 諸頭瘡

追蟲打鱉丸 黑豆檳榔各四兩 雷丸木香甘草各壹兩 為末大人四錢小兒二錢量人虛寔空心以滾湯入沙糖少許調下待走去惡積虫二三次方進稀粥湯補住

雄殊丸丹 大黑豆四十九粒約五錢重端午日以冷水浸從早至巳時去皮晒乾研入石信末壹錢再研勻糊丸雄黃殊砂為衣晒乾收貯瘧臨五更面東井水下一二丸

靈檳散 五靈脂檳榔等分為末每三錢菖蒲煎湯下隔但先將猪肉蘸醬煮熟令患人細嚼吐出勿吞卻將前藥空心服之。治心脾虛痛不可忍者

理脾却瘴湯 陳皮白朮茯苓黃芩半夏山梔山楂蒼朮神曲黃連前胡姜水煎服。治遠宦四方水土不服者

辟邪丹　人參茯神遠志鬼箭羽菖蒲白朮蒼朮當歸各壹兩　桃枝五錢　雄黄朱砂各三錢　牛黄麝香各壹錢　為末酒糊丸龍眼大金箔為衣每一丸卧臨木香磨湯化下更以縫盛五七丸懸床帳中尤妙治中惡怪疾及山谷間居處邪不敢近

連歸丸　全當歸酒黄連各四兩　防風已元各弍兩　為末用煎浸黄連酒打糊丸米飲下每六十七丸。治痔漏及脫肛便血

荆防敗毒散　客感

丁香柿蒂散　乞門

胡麻散　胡麻壹兩弍錢　荆芥苦參各捌錢　何首烏壹兩　甘草威靈仙各壹錢　為末每二錢薄荷煎湯或茶酒蜜湯下服藥後頻頻浴身得汗出立發治脾肺風毒攻冲遍身搔痒或生瘡疥癮疹

祛痰火丸　南星半夏香附石羔山梔各等分　為末姜汁服浸蒸餅丸服或姜煎服亦可。治胃火痰火噯氣

麴朮丸　神曲三兩　蒼朮壹兩半　陳皮壹兩　為末姜汁煮神曲糊丸姜湯下。治中脘宿食留飲酸螫心痛牙齒亦酸

龍膽瀉肝湯　懸癰

辟穢丹　蒼朮細辛甘松川芎降真香各等分為末烈火焚之治瘟疫

烏附通氣湯

鷄蘇散　薄荷黄芪生地阿膠貝母白茅根吉更麥門甘草姜煎服。治勞傷肺經唾內有血咽喉不利

77

追魄湯 麻黄杏仁甘草水煎咳口灌服 三白湯 白芍白朮白茯苓甘草
治卒厥暴死及客忤鬼擊鬼声 治虛煩或泄瀉乾渴
牡蠣丹 牡蠣黄丹各弍月枯礬四月為末遇痊睡時用手撿藥於痒處擦之。
治陰囊兩傍生瘡或陰濕水出其痒甚苦及兩腋脚心汗濕亦宜
柴青瀉肝湯 即小柴胡湯加黄連青皮。治男子 十全大補湯
肝火壯極陰莖腫裂健硬不休
二黄丸 黄芩弍月黄連壹月升麻柴胡各三月甘草弍月只是叺五為末
蒸餅丸姜湯下。治傷熱食痞煩悶不安
四順清涼飲 腹痛 四君子湯 四物湯 六味丸 八味丸
黄芪川芎當歸熟地官桂甘草白芍姜棗煎服
雙和散 治心力俱勞氣血俱傷或房勞大病後虛羸氣之
巴戟弍月當歸鹿茸益智杜仲生地茯神山藥兎絲子遠志
温腎丸 蛇床子續斷各壹月山茱熟地各三月為末蜜丸每三五十丸温酒下 平胃散
姜黄乾姜白豆蔻澤瀉砂仁甘草人參黄芪厚朴陳皮
益胃散々 益智仁水煎温服治服寒藥过多或脾胃虛弱胃脘痛

藿仁養胃湯　藿香烏藥白朮人參茯神茯苓半夏砂仁薏苡仁
蓽澄茄甘草干姜棗煎服。治胃虛不食四肢痿弱
啓脾散　蓮肉一兩白朮茯苓山藥神曲山查各五錢人參猪苓澤瀉藿香木香當歸白芍
砂仁各三錢白豆蔻三錢陳皮二錢甘草一錢驚風後加神砂活石各七錢爲末任意姜湯調
服。治病後虛弱　調中健脾丸　白朮破故紙訶子肉果各一兩茯苓陳皮各八錢黃連吳茱萸水炒
过七錢神曲六錢木香厚朴小茴砂仁山藥蓮子各五錢爲末粥丸每七十丸蓮子
煎湯。治脾胃氣虛早晚溏瀉及臟寒久瀉亦宜
歸脾湯　驚悸　茯苓補心湯　合四物合參蘇飲
治心虛不能藏血　養心湯　不寐　寧肺湯　咳嗽
潤肺丸　訶子五倍子五味子黃芩甘草各等分
爲末蜜丸噙化。治咳嗽而失音　補中益氣湯
款冬散　咳嗽　凝神散　人參茯苓白朮山藥各一錢扁豆粳米生地甘草知母各五分地骨皮
麥門淡竹葉各二分半姜棗煎服。治癆瘵症聲重系瘦之
調中益氣湯　客感　人參養榮湯　遺精

固真飲子 人參山藥當歸黃芪黃栢熟地白朮澤瀉山茱補骨脂五味陳皮茯苓杜仲甘草水煎温服。治陰陽两虛氣血不足飲食少五心熱自汗潮熱

還少丹 菖蒲牛膝巴戟五味子茯神楮實熟地枸杞蓯蓉小茴山藥遠志杜仲山茱各等分為末蜜和棗肉為丸空心温酒鹽湯任下。治陽虛不擧真氣衰弱精神短少小便無度眼目昏花腰脚麻痛

卻病延壽湯 人參白朮牛膝白芍陳皮茯苓山查當歸甘草姜水煎服春加川芎夏秋加黃芩麥冬倍生姜

二神交濟丹

六君子湯

牛膝丸 牛膝萆薢杜仲蓯蓉兎絲子防風葫蘆巴補骨脂蒺藜各壹兩肉桂五錢為末酒煮猪腰子為丸每五十丸空心酒下。治肝腎損骨痿不能起床筋緩不能收持

鹿茸四斤丸 肉蓯蓉白朮巴戟麥門茯苓甘草牛膝杜仲熟地鹿茸木瓜各半斤為末蜜丸每五十丸米湯或酒下。治肝腎虛損之極以致筋骨痿弱不能自起居無力足膝痠疼

蓯蓉散 肉蓯蓉白朮巴戟麥門茯苓甘草牛膝五味杜仲各八錢車前子乾姜各五錢生地斤半為末每二錢食前酒調日三服。治腎氣虛寒濕痿腰脊痛身重脛弱言音混濁

玄牝太極丸 蒼朮四兩當歸熟地各三兩川芎壹兩磁石一兩三錢葫蘆巴白芍各一兩二錢黃栢知

每五味巴戟白朮各壹兩半枸杞破故紙小茴白茯各二兩半木瓜杜仲蓯蓉各弍兩汶藥壹兩陽起石壹兩爲末擇壬子庚申旺日用鷄子六十箇打開一孔去内拭乾以末入内用紙糊住令鷄抱子出爲度取藥蜜丸梧子大每八十一丸空心鹽湯下。治元氣衰微飲食不進

參苓白朮散 泄瀉

蒼朮膏 蒼朮二十斤切細入沙塲内煮每一次只煮四兩半斤用水煮極去乙濃查一又加蒼朮湊水煮之不但煎成一鍋方練加水雖初煎一鍋之時如水慳一寸即加一寸末後一鍋盡其蒼朮矣却不加水用絹濾过再熬成膏或加蜜四斤每空心服之治傷食少之食濕腫脾胃不和泄瀉不止四肢無力酒色过度劳逸有傷骨熱痰火等症一方加石楠葉三斤枸杞子楮寔子各二斤

芎芷散 白芷菖蒲蒼朮陳皮細辛厚朴半夏甘草木通紫蘇辣桂川芎姜葱煎服治風入耳而鳴

柴

紫胡聰耳湯 連翹紫胡甘草當歸人參生姜水煎去查入水蛭壹虫麝香煎沸食遠服。治耳中乾結耳鳴而聾耳

犀角飲子 犀角菖蒲木通玄參赤芍赤小豆甘菊甘草姜煎温服。治風熱上壅兩耳聾耳閉内外腫痛膿水流出

氷梅丸 鮮南星二十五个鮮半夏五十个皂角白礬食鹽防風朴硝各四兩吉更弍兩梅子百个先將鹽以水浸化然後將各藥研碎入水拌匀方以梅子入藥浸乙水过三指爲度晒

至水乾以磁罐収貯蜜密封如霜起最妙用時綵錦裹定噙口中合津液
嚥下徐徐痰出自愈。治喉風腫痛如神

牛蒡子湯 牛蒡子玄參犀角升麻黃芩木通桔梗甘草
水煎服。治風熱上壅牙関緊急咽喉腫痛

薄荷蜜 白蜜薄荷自然汁各半分 先以生姜蘸水揩凈
然後敷之。治舌上生瘡或胎乾澁言語不真

通草丸 通草細辛附子各半分 蜜丸裹錦塞鼻中
治鼻齆有瘜肉不香臭者 間

胃風湯 便血　清胃散 牙齦　腎氣丸

祛風清熱散 歸尾赤芍川芎生地黃連黃芩梔子連翹薄荷防風荊芥
姜活桔梗只殼白芷甘草燈心水煎服。治眼腫暴發

洗肝散 薄荷當歸姜活山梔仁大黃防風甘草川芎各等分爲末
每二錢熟水調服治風毒上攻暴赤腫痛隱澁脹淚

當歸飲 諸疥瘡　升麻胃風湯 升麻白芷當歸葛根蒼朮甘草柴胡藁本
姜活黃柏草豆蔻麻黃蔓荊子姜棗煎服

治風虛面腫 導氣除燥湯 茯苓 活石 知母 澤左 黃栢 水煎服 治小便秘 育神夜光丸 眼目

厚朴溫中湯 厚朴 陳皮 乾生姜 茯苓 草豆蔻 木香 甘草 姜棗 煎服 治脾胃虛弱心腹脹滿疼痛及秋冬客寒犯胃作痛

疎肝散 脇痛 推氣散 脇痛 活脉湯 手臂 舒經湯 手臂

立安丸 萆薢二兩 故紙 木瓜 各壹兩 牛膝 續斷 杜仲 各一兩 爲末 蜜丸 每五十丸 溫酒下。治諸般腰痛 常服溫腎元 壯腰脚

獨活湯 独活 羌活 防風 肉桂 大黃 澤左 當歸 桃仁 連翹 甘草 防己 黃栢 水酒煎服。治勞役腰痛沉重 小柴胡湯 客感

逍遙散 客感 清心蓮子飲 雜門 蒼梔丸 蒼朮 香附 各五錢 山梔 一兩 半夏 川芎 白芷 各三錢 爲末 神曲糊丸服。治手心發熱

玉屏風散 防風 黃芪 白朮 水煎服。治自汗 當歸六黃湯 黃芩 黃連 黃栢 生地 熟地 當歸 黃芪 水煎溫服 止盜汗之聖藥也

二甘湯 生甘草 炙甘草 五味子 烏梅 姜棗 煎服 治胃熱食後復助其火汗出如油 小柴合四物湯

胃苓湯　導滯湯 痢門　補中益氣湯

養臟湯丸　粟殼一錢蜜炒　陳皮　只殼　黃連　木香　烏梅　杏仁　厚朴　甘草各五分　黑豆　棗子

煎服。紅痢生地　甘草節　春茶煎。又不效加唵蛆　龍骨　赤石脂　人參　白芍各一錢

爲末蜜丸，每三十丸，烏梅甘草煎湯

或米飲下。治五色痢神效

導滯通幽湯　升麻　當歸　桃仁　生地　熟地　甘草　紅花，水煎入

檳榔末，或麻仁泥調服。治大便噎塞不通

潤腸丸　歸尾一分　防風三分　大黃　羌活各一錢　桃仁二錢　麻仁二錢　皂角一錢二分燒存性。風濕加秦艽

倍皂角，脉澁氣短加郁李仁，爲末蜜丸，每五十丸白湯下。治燥結

縮泉丸　烏藥　益智仁等分，爲末，酒煮山藥糊丸，每五十丸

鹽酒下。治浮氣不足，小便頻數，或加鷄膍胵

秘元煎　遠志　山藥　芡實　棗仁　白朮　茯苓　炙草　人參　五味　金櫻子，水煎服

治遺精帶濁等症。氣虛加黃芪，有火熱者加苦參

鎮神鑽精丹　人參　白茯神　遠志　栢子仁　棗仁　石菖蒲　石龍骨　牡蠣各一錢五分

辰砂一分，爲末蜜丸，每一丸棗湯送下。治夢遺精滑

神芎湯 升麻 川芎 人參 枸杞子 甘草 遠志 黄芪 當歸 地骨 破故 杜仲 白朮 蓮肉 姜 煎服。治遺精經久腎氣下陷玉門不閉不時漏精

枸杞湯 枸杞子 肉蓯蓉 茯苓 五味子 人參 黄芪 山梔 熟地 石蓮肉 甘草 生姜 燈心 水煎服。治腎虚精滑如[illegible]神

安神鎮驚丸 當歸 白芍 各一兩 川芎 茯神 各七錢 生地 一兩半 貝母 一兩 遠志 七錢 棗仁 五錢 麥門冬 二兩 黄連 五錢 陳皮 一兩 甘草 三錢 硃砂 一兩 為末蜜丸每服五十丸食遠棗湯送下。治心身不安驚悸怔忡

益智安神湯 當歸 黄連 生地 麥門 棗仁 遠志 白茯 人參 黄芪 胆星 淡竹葉 小草 姜棗 煎服。治驚悸

仁熟散 人參 只殼 五味子 桂心 山茱 菊花 茯神 枸杞 各三分 栢子仁 熟地 各一兩 為末每二錢温酒調服。治胆虚常多恐畏不能独卧頭目不利

妙香散 麝香 一錢 山薬 茯苓 茯神 黄芪 遠志 各一兩 人參 甘草 吉更 各五錢 木香 二錢半 辰砂 三錢 為末每二錢温酒服。治男婦精氣不足精神恍惚

五子衍宗丸 枸杞子 兔絲子 各八兩 五味子 一兩 覆盆子 四兩 車前 二兩 慣遺泄者去車前加蓮子 或為末蜜丸白湯下 或塩酒随宜。治精滑

八仙添壽丹，白雪膏

甘露飲 生地 熟地 茵陳 天門 麥門 枇杷葉 只殼 黃芩 石斛 甘草 水煎服
治胃中客熱咽喉乾燥牙宣齦腫身黃如疸

別離散 白朮一兩 天雄 附子 肉桂 乾姜 茜根各三錢 茵芋葉 桑寄生各五錢 細辛 菖蒲各二錢 熟者去雄附姜桂加知母 蓄稻各三錢 當歸 地黃各五錢 為末空心白湯調服二錢。治心風為病男夢見女女夢見男宜使去邪使不復見故云別離

消毒百應丸 大黃一斤 蒼朮 黃柏 當歸 槐花 金銀花 皂角各四兩 細切水煎濃去渣浸大黃令透曬乾又浸又曬以汁盡為度為末糊丸如菉豆大每服六十四丸白湯下以大便下滯物為效。治一切百瘡惡毒

三黃補血湯 熟地 生地 黃芪 當歸 白芍 柴胡 升麻 牡丹 川芎 水煎溫服。治諸血不止自汗身熱

鷄蘇散 薄荷 黃芪 生地 阿膠 貝母 白茅根 吉更 麥門 甘草 姜 煎服。治勞傷肺經唾內有血咽喉不利

山梔地黃湯 山梔 白芍 生地 知母 貝母 杏仁 天花粉 牡丹 麥門 水煎服。治痰積熱先痰後血。

四生丸 生薄荷 生艾葉 生栢葉 生地黃各等分搗細爲丸 鹽湯下或水煎服。治血熱妄行吐衄。

犀角地黃湯 犀角 牡丹皮 白芍 生地 水煎服。治邪鬱經絡吐血衄血不止。

髮灰散 亂髮一團燒灰存性 入鹿角半盞 淡苦酒湯下。治小便尿血。

陽春白雪膏　白苓　山藥　白芡　蓮肉各四刃　陳米　糯米半斤　白砂糖一斤半

各味散末蒸熟入白砂糖凡　此方養氣血補心神

癰疽薰藥　雄黃　硃砂　血竭　沒藥各二錢　麝香二分　乳香貳錢　放末麻油浸薰

散藥　車前草　萹蓄草　金銀花　五爪龍草等分　滑石　米粉　搗敷

散藥　參　黃芪　白朮　白茯苓　陳皮　連翹　白芷　金銀花　甘草各等分　白芷　再刺貳

加乳香　沒藥各半錢

海外漢文古醫籍精選叢書·第三輯

雜症門科

〔越〕佚名氏　撰

内容提要

《雜症門科》不分卷，成書年代不詳。全書載録内科、婦科、兒科疾病的病因證治、處方用藥、隨證加減。書中收録近四百首醫方，選方精良，方劑記述詳實，運用化裁靈活，注重煎煮方法，是一部頗具越南本土特色的方書，具有一定臨床參考借鑒價值。

一　作者與成書

《雜症門科》書首葉首行題「雜症門科」四字，無撰者信息。

本書主要載述内、婦、兒科疾病的處方用藥。書中大部分「時」字以「辰」字代替，如傷寒門中的葛根解肌湯「治傷寒發熱無汗，瘟疫辰行」。越南阮朝第四位君王名爲阮福時，西元一八四七年至一八八三年在位。本書將「時」改爲「辰」字，應是避君王「阮福時」諱。但書中的避諱并不嚴格，少部分「時」字并未改動，如瘟疫門中的荆防敗毒散「治時氣瘟疫，頭面腫大，目不能開」。據此，筆者推測《雜症門科》當成書於阮福時開始執政的一八四七年之後，可能是摘録謄抄多部醫書處方彙編而成。

二 主要内容

《雜症門科》分門記載臨證九十二種疾病的病因病機、處方用藥、煎煮方法和隨證加減，内容可分爲内科雜病、室女婦人科和小兒科三部分，載方三百八十餘首。

内科雜病，包括中風、傷寒、瘟疫、風寒、暑濕、瘧疾、内傷、鬱症、痰積、咳嗽、霍亂、下痢、嘔吐、關膈、呃逆、嘈雜、浮腫、熱勞、眩暈、胃脘痛、腹痛、脅痛、風痺、耳聾、目痛、咽喉、齒痛、鼻塞、失血、痔漏、脱肛、厥冷、癲狂、驚悸、消渴、白濁、血淋、疝氣、脚氣、腰痛、瘡疹、癰疽火丹、跌打四十三種疾病，載方二百一十餘首。

室女婦人科，包括血崩、血漏、經閉、安胎、嘔吐、子腫、子煩、子懸、子淋、水胎、漏胎、胎動、子癇、寒熱、胎瘧、心痛、小便不利、小産十八種疾病，以及産後瘀血、血暈、傷食、發熱、中風、血風、口噤、痰、血邪、乳痛、喘嗽、泄瀉、肺熱、下痢、骨痛、頭風、霍亂轉筋、喘逆、腫症、嘔吐、脚氣、痿弱、頭暈、中寒二十四種産後疾病，載方約一百二十首。

小兒科，包括瘡、疳、火丹、下痢、咳嗽、跌瘡、蟲病七種疾病，載方五十餘首。

最後附補益諸方，包括長生丹、長壽丸、長生固本酒、仙酒方、徐國公浸酒方五首方劑。

每種疾病分爲若干證型，每種證型首先叙述證候表現、應用處方、隨證加減等，這部分内容多用喃文撰成；然後詳列方劑名稱、主治病證、方藥組成、煎服方法、用藥加減等。例如，中風門載：「半身不遂似類中風，中腑皮熱脉洪，以小續命汗通調和，皮寒附子倍加，皮熱火邪合白虎湯，無汗辰加麻黄，有汗加桂竹薑黄芩。」其後爲小續命湯和白虎湯的主治病證、藥物組成及劑量、煎服和加減法等。

三　特色與價值

《雜症門科》一書選方精良，包含大量中醫名方驗方，醫方運用化裁靈活，且十分注重處方的煎服方法。

本書總計收方三百八十餘首，其中有很多是中醫名方，如麻黄湯、桂枝湯、小柴胡湯、大柴胡湯、五苓散、四物湯、四君子湯、六君子湯、大承氣湯、二陳湯、平胃散、葛根解肌湯、犀角地黄湯、荆防敗毒散等。

作者根據臨證需要，靈活化裁運用上述方劑，許多醫方藥味發生了變化。例如，傷寒門麻黄湯：「麻黄湯：解表汗。麻黄、桂枝、川芎、白芷、薑（羌）活、藁本、甘草等分，薑三片，豆三十枚，杏仁十粒，研末，炒黄，水煎，汗出即止。」

醫方後多注明隨證加減，以室女婦人科四物湯爲例，「四物湯：主治婦人室女諸般血病及胎前産後，與男子陰虚血少并治之。當歸二兩酒洗炒，白芍二兩酒炒，熟地二兩半酒浸，炙川芎二兩炒，水煎。挾風加防風、薑（羌）活，熱甚加黄芩酒炒，煩躁加天門冬，虚寒加肉桂、乾薑炒，陰虚火動加知母、黄柏酒炒……胎痛加木香、山楂，氣血兩虚合四君子湯」，四物湯後注明了挾風、咳嗽、經閉等十四種隨證加減用藥。

醫方後多詳述其煎服方法。例如，大柴胡湯，「薑棗水煎，二沸入大黄，三沸温服」；大承氣湯，

「先煎厚朴、枳殼、枳實三沸，次入大黄煎二沸，後入芒硝煎二沸，去渣，温服」；益元散，「每服一兩，加蜜，新汲水化下」；散邪湯，「薑葱水煎，露一宿服之」；七寶湯，「水酒煎，露一宿，早服，後食粥補之」；朱砂丹，「瘧臨發，五更，東向井水下一丸」。

本書所載方劑除去使用水煎煮之外，還常用薑水、薑棗水、薑葱水、酒、茶水等煎煮。例如，小續命湯、茹苓散、越鞠丸、紫蘇湯等醫方用薑水煎服；防風黄芪湯、附术湯、平胃散、人參養胃湯、補中益氣湯、加味二陳湯、蘇子降氣湯等方用薑棗水煎；防風通聖散、生料五積湯、散邪湯、澤瀉湯等方劑用薑葱水煎；參蘇飲用薑、棗、葱白煎；加减二陳湯、六君子湯可用薑汁竹瀝調服；五苓散用肉桂薑水煎；滚痰丸用茶水湯下；五膈寬中飲用鹽薑湯；白虎湯用酒調服。

同一種方劑可通過采用不同的煎煮方法來治療不同的疾病。例如，六君子湯治中風加竹瀝、薑汁，治浮腫用酒、水各半煎服。

綜上，《雜症門科》是作者精心摘録衆多中醫名方驗方彙編而成，經過作者化裁改良，成爲一部具有越南本土特色、頗具臨床參考價值的實用方書。儘管本書病因病機部分用喃文寫成，識讀有一定困難，但本書所載方劑經過作者靈活化裁，又配合獨特的煎煮方法，擴展了醫方的臨床應用範圍，對現今中醫臨床亦有一定的參考借鑒意義。

四 版本情况

筆者所見《雜症門科》爲鈔本，今藏於越南國家圖書館，本次影印即以此書爲底本。此本不分卷一册。未見封皮，書首的首葉首行題「雜症門科」四字。無序、跋、目録。正文大字主要用漢文寫成，雜有少量喃文，小字亦使用漢文。四周無邊，無界格欄綫，書口無魚尾。每半葉八行，行三十字左右，小字雙行。天頭部以朱字標出疾病名稱。全書朱點、朱批，方劑名稱右側用朱綫標識。書中有少量蟲蛀破損。

總之，《雜症門科》重點列述内科、婦科、兒科常見疾病的處方用藥，所載醫方多爲中醫名方、良方，經由作者靈活化裁，又加以獨特的煎煮方法，大大提高了臨床療效，拓展了應用範圍，是一部獨具特色的越南方書，具有較高的臨床參考借鑒價值。

韓素杰　蕭永芝

中風

雜症門科

中風症意論先噲咼沛遏脱連礹台扶筋啣啞撅插痰涎噤口庢能事㪍通

關鼽覔喝唏消風湯意急催哇訧　通關散 治中風卒倒牙關口禁 皂角去仁 細辛等分 生半夏減半 為末 白礬 每用少許吹入鼻

消風湯 治中風口眼喎斜 防風 南星各四月 半夏製 甘草 黃芩各二月 生姜一片 水煎服　通關庒体性帀中風入臟宍窂朱

饍中痰中氣中經中臟中腑立名冒排固症啣啞䙡鞴半身不遂似類中風中

腑皮熱脉洪以小續命汗通調和皮寒附子倍加皮熱火邪合白虎湯無汗辰

加麻黃有汗加桂竹姜黃芩　小續命湯 治中風半身不遂口眼喎邪言語蹇澁 防風 肉 桂 杏仁 黃芩 芍藥 甘草 人參 川芎 麻黃

各三分 大附五分 姜水煎服 如身熱　白虎湯 知母一分 石膏五分 甘草一分 人參五分 麥冬五分 梔子 竹

脉洪煩渴 合白虎湯　葉粳米等分 用進汁或姜蚕末酒調服 無汗倍麻黃

中臟竅閉脉沉二便秘澁症陰令饒白排三化利消姜活導滯堆料共適

三化湯 治中風竅閉二便不利舌強，厚朴 只殼 姜活各二丷 水煎三次入大黃二丷半又煎二沸去渣服以利為度

姜活導滯湯 治中風竅閉二便不通肢節腫痛使淡阻隔 姜活 独活各一丷四分 防風 當歸各七分 只實五分 水煎服

中經二便和沖無表無裏合用秦艽

大秦艽湯 治中風血弱不能運動及不悟 熟地 秦艽 石膏各一丷半 姜活 當歸 独活 川芎 白芷 甘草 生地 白芍 黃芩 伏苓 防風 白朮炒各一丷 細辛三丷 如痞滿加只實一二丷

中氣脉沉細牢皮寒節骨疾痂鱉皮烏藥順氣芎歸姜汁竹瀝旺辰消風

烏藥順氣散 治中風流攻骨節疼痛左癱右瘓言語澁蹇 云防風消風莫要於順氣導痰 烏藥 陳皮各一丷 乾姜三分 殼 姜蠶 川芎 白芷 吉更 甘草各五分 麻黃一丷半 姜棗

風生痰火煒熾防風通聖芒硝大黃

防風通聖散 治中風及諸風惡疹小兒驚風并傷寒表裏俱熱發狂症 防風 當歸 川芎 赤芍 大黃 芒硝 連翹 薄荷 麻黃各三分 石膏 黃芩 吉更 五分 活石二丷 荊芥 白朮 山梔 甘草一丷 姜葱水煎

中痰脉滑身涼殭裹边癢右用方化痰槐苒人參姜蚕天麻荊芥半南陳皮白樹石神

砂為衣姜湯送服詔效台　驅風化痰丸　治中風痰壅半身不遂　槐蒋　人參　姜蚕　天麻　製蒼
半夏　南星　陳皮各二兩　白礬　神砂各五兩　右為末姜汁

擣糊為丸梧子大以神砂為衣每服
三十丸姜湯下如緊急用加減二陳湯　邉左用四物尼、六陳边右合昜六君竹瀝姜汁料分製臥湯

旺病陳平安　四物湯　熟地四兩　當歸　白芍各二兩　川芎一兩
加姜活　桃仁　紅花
加減二陳湯　治中風右边身重陳
皮二兩　製夏一兩　茯苓

防風　南星　連翹　黃芩　木香各八分　甘草四分　姜汁竹瀝
調服濕痰加蒼朮　白朮　寒痰加桂　老痰加海石芒硝
六君子湯　人參三兩　炒朮二兩　茯苓二兩　甘草一兩
陳皮二兩　製夏一兩半　加竹瀝姜汁

傷寒

風来史論傷寒、疾頭煒冽呼看氣邪鼻塞潜鼽泄罨排參蘇飲再加桑皮

參蘇飲　治外感風寒內傷生冷及傷寒發熱頭疼咳嗽痰壅涕唾稠粘　人參　紫蘇　前胡　半夏　乾
葛　茯苓　木香各七分　陳皮　只殼各五分　甘草三分　咳嗽加桑皮　杏仁　麻黃　姜棗葱白煎

疾頭爗冽離皮戊灰庄固四肢疠寅用排鮮肌葛根貝湯十神麻黃桂枝桂麻

能助四特冬節正用秋夏暫緘罝沛自煒冽蓮桂枝加減正權甚能弋頭煒冽

輸𨁂戊灰庄固合脟麻黄、葛根解肌湯 治傷寒、發熱無汗瘟疫辰行 葛根三分甘草八分 姜三片棗三枚 麻黄芍藥各二分黄芩二分桂枝一分

十神湯 治風寒兩感瘟疫發熱無汗 紫蘇 香附陳皮甘草 乾葛 升麻 赤芍 白芷 川芎 麻黄、各五分姜三片 麻黄湯 解表汗 麻黄、桂枝 川芎 白芷 姜活 藁本 甘草等分

姜三片豆三十枚 杏仁十粒 研末炒黄、水煎 汗出即止 桂枝湯 治風寒有汗發熱身痛乾嘔 桂枝 白芍 川芎 防風 姜活 柴胡 甘草各等分姜棗 裾桔咽燥聰喋息

湁溨嘫𠃩湯小柴、小柴胡湯 治少阳寒熱、耳聾脇痛乾嘔口苦 柴胡三ソ黄芩二ソ赤芍七 人参 製半夏一ソ生甘草一ソ水煎姜棗服 或腹痛去黄芩加焦

朮脇痛加青皮只殻、咳嗽加桑皮杏仁煩渇加天花粉 知母 葛根 頭疼加川芎白芷 泄瀉加五苓名柴苓散 𢢂闌渇渃咀馳䏻誃帶𥡀𠃩排五苓

五苓散 治中暑煩渴症見泄瀉反霍乱吐瀉小便不通身重湿腫 茯苓 白朮炒各二分 猪苓各二分澤瀉二分肉桂姜水煎 如發狂加神砂 陶氏方加滑石山梔灯心入食塩少許 脉沉傅旦裏

經𢤱㥷𢢂愊熱行於𪗉二便秘滋庄通煩燥恍惚嚬嗒呐咣大柴承氣堆湯旺臥

覽利活腸連安 柴苓湯 治半表半裏寒熱煩燥下痢、柴胡二ソ製半夏 人参 茯苓 白朮 猪苓 澤瀉 各二ソ、甘草生四分姜棗 大柴胡湯 治傷寒傳

裏大便不利狂言 柴胡二ㄨ黄芩 半夏 只殼 白芍各一ㄨ 大承氣湯 治痞滿太甚便閉狂言譫語厚朴
大黄三ㄨ姜枣水煎二沸入大黄三沸温服 只殼 只实 大黄 芒硝各二ソ半右先
煎厚朴只殼只实三沸次入大黄煎二沸後入芒硝
煎二沸去渣温服見利即止枳实厚朴減二分
或畏瘀血似顛吶噴嚏嗽欬連噯罨疰唆疰哇
如邪以排犀角血和吏安 犀角地黄湯 治瘀血便黑鼻衄狂言譫語漱水不嚥水腹疼痛急
犀角 丹皮各二ソ 白芍ㄋ 生地黄 黄芩各三ソ半 當歸一ㄋ半
陳皮甘草 桔更 紅花各七分水
煎磨犀角調服鼻衄加炒梔子

瘟疫

瘟疫罨疰染傳弋頭瘴洌疠連四肢赭腮顴繠種強稽荊防敗毒即辰旺先辟瘟
員纅神仙牢糊如意至玄驗台 荊防敗毒散 治時氣瘟疫頭面腫大目不能開 荊芥
防風 姜活 柴胡 前胡 独活 吉梗 只殼
人參 茯苓 牛蒡子 連翹 赤芍各五分甘草
薄荷各一分姜三斤咽喉腫痛加升麻玄參山豆根 辟邪丹
雄黄一月 小豆 丹參 鬼箭羽各五ソ
右爲丸梧子大每服五丸温水湯下 如意丹
川烏八ソ 檳榔 人參 柴胡 茱萸 川椒 白姜 當歸
白茯苓 黄連 紫菀 厚朴 桔梗 皂角 菖蒲各五ソ 巴豆

風寒 暑濕

風寒暑濕計，排風濕頭面淡滔戊灰，防風黃芪旺催貝湯朮附更回陽分。防風黃芪湯 防風 黃芪各二〻 白朮炒一〻半 甘草七分 姜棗水煎 附朮湯 治肝冷筋骨汗出不止 附子 白朮各一〻 獨活 川芎三分 桂心二〻 姜棗水煎

中寒厥冷𤸱頭疼頭痺冽痂寅四肢生料五積芎邊倍姜附脈辰神通。生料五積湯 治感寒腹痛 白芷 川芎 白芍 當歸 茯苓 甘草 桂心各二〻 厚朴 乾姜八分 去麻黃 加烏藥 只殼五分 吉梗一分半 半夏二分 蒼朮七分 姜葱煎服 腹痛加吳茱萸 產后腫痛 醋炒莪朮

中暑燥煩頭疼汗渴脈洪香茹五苓白虎益元四生散湯調旺吏膳平初。茹苓散 治中暑煩渴霍亂吐泫 香茹 厚朴 白扁豆 黃連各一〻半 俱酒浸 藿香 白朮 澤左 猪苓各三〻 桂心三分 姜水煎服 白虎湯 知母一兩 石羔五〻 五味子 梔子 竹葉 熱渴煩加粳米 水煎服 益元散 名六一散 又名天水散 治煩渴小兒水泫 滑石六〻 甘草一〻 右為末 每服一〻 加蜜 新汲水化下 虛熱加神砂五〻 炙為丸如彈子 白湯下

中濕沛𤸱共滑疾頭㬨冽氣於㬨石逅昌痾泣歇回皮〻排平胃湯隨生姜滲濕桑寄生湯辨朱沛症熷𤸱料加

平胃散 調脾胃止泄法 厚朴 陳皮一ソ半 蒼朮二ソ 藿香二ソ 炙甘草一ソ 姜棗水煎 如湿法服五苓散名胃苓滲湿

五苓散 白朮 蒼朮各二ソ 茯苓 甘草 乾姜 陳皮 丁香各五分 右姜棗

独活桑寄生湯 治脚氣腰膝骨痛痺緩 独活三ソ 桑寄生 白芍 生地 當歸 杜仲 牛夕 細辛 秦艽 茯苓 桂枝 人參 防風 川芎各三ソ 甘草一分 脚氣痛甚加乳香 没藥研

瘧疾

瘧疾買吏計𠸠弋頭肆冽氣邪渚衝初發寒熱交攻渃渇脉洪排散邪湯有汗正氣檳榔痰瘧噎嗚么湯二陳

散邪湯 治初瘧無汗 川芎 白芍 麻黄 白芷 防風 荊芥 紫蘇 姜活 甘草 右姜葱水煎露一宿服之

正氣湯 治瘧疾初發 柴胡 前胡 川芎 白芷 檳榔 草菓 半夏 麥門 青皮 茯苓 桂枝 甘草各等分水煎

加減二陳湯 主治痰飲 陳皮 半夏 茯苓 甘草二分 貝母一ソ 只実 白朮 黄芩 白荳 青皮 柴胡 陳皮 茯苓 防風 香附 連翹 防風 天花粉 加南星 連翹 黄芩 香附 甘草 姜汁竹瀝服

肆冽每時艾吝渃滞辰靚沛旬柴苓二日一發熱行吏么加減柴苓買效

柴苓湯 柴胡二ソ 半夏 人參 茯苓 白朮 猪苓 澤瀉 甘草四分 加減

柴苓湯 治瘧寒熱煩渇 柴胡 黄芩 半夏 猪苓 澤瀉 茯苓 蒼朮 青皮 厚朴 檳榔 甘草減半 烏梅 草果各等分 或罢冽乜肆𨁪么清脾飲艾料

吏安戓𧗱少㷋𡗋寒人參養胃册盤𠀧能 清脾飲 青皮 厚朴 白朮 半夏 黄芩 草果 甘草 又一方加茯苓 常山

人參養胃湯 治瘧疾熱多寒少及内傷脾胃腹嵐瘴不服水土霍乱泄瀉 蒼朮 陳皮 厚朴 半夏各七分 茯苓 霍香各五分 甘草 烏梅一个 人參 草果各四分 姜枣水煎 寒多桂附 熱多加柴胡 黄芩

陽瘧𠠩旦姅𣈜鋮少截瘧去矜干寒用排七宝常山共員鬼哭嗎看強效 七宝湯 治阳虐 常山酒炒為君 甘草 厚朴 青皮為佐 陳皮 兵榔 草果為佐 右水酒煎露一宿早服 後食粥補之 鬼哭丸 人言以生竜芭外火煅煙少 青豆炒一分 糊丸硃砂為衣一丸納入芭蕉果吞之

陰瘧發衛班朝法庄可截仕料補阴用湯四物川芎地黄芍藥合共芎逮𠦳排罘味𠀧依吏漆酒製栢知強效 硃砂丹 治阴虐服此則截 大黑豆四十九粒約五分端午日以冷水浸自寅至巳辰去皮晒乾入石白火煅末一分再研均麪糊丸如菉豆大雄黄神砂為衣晒乾收貯瘧臨發五更東向井水下一丸 補陰四物湯 川芎一分 熟地四分 當歸 白芍各二分 加知母 黄柏 酒炒

𤴬數庄撻平朝来干熆瘭淡𧺀戊灰補中益氣 吐催計龥𠀧劑買回亢矜

内傷

加味補中益氣湯 治内傷久瘧元氣虛弱自汗倦怠寒熱往来飲食不進 胡黄芪蜜炒 人參 白术 陳皮 當歸 柴胡 升麻 白芍 黄芩 半夏 炙甘草 姜 棗 水煎 久不愈去白芍 半夏 黄芩加檳榔 常山 貝母二錢 劑即愈

固歇默沛病危儂趁冽㐌欸船庄安合用排五瘟丹大黄蒸酒爫員調和不二勝金計罨吐卧截瘧欒它神通

五瘟丹 治熱瘧并辰行瘟疫症 黄連治火運丙丁之年為君 黄柏治水運壬癸之年為君 黄芩治金運庚辛之年為君 柴胡属甲乙木運之年 甘草属土運戊己之年 加紫蘇 香附 以上各一兩 如鍊藥值此年用此為君各味 於冬至日為末 捧大黄綿花三兩水煎熬 去滓再熬成膏 和前藥末擣丸如彈子 以硃砂 雄黄為衣 再帖金箔為裏 每服一丸 冷磨湯服

不二飲 治瘧新久一湯截之 常山 檳榔各二錢 知母 貝母二錢 右為末每服八分 酒一鍾煎至半分 若不效露一宿 早日温服 切令婦人煎藥

勝金丹 治久瘧 常山酒蒸四兩 檳榔一兩 右為末醋糊丸 每服三十丸 酒湯下

補中益氣湯 治内傷虛損勞倦自汗房事 人參一錢半 甘草一錢 陳皮 當歸 白术各八分 升麻 柴胡各五分 姜 棗 水煎 傷食加山查 麥芽 神曲 發熱加酒炒黄芩

瘧𨒺衝内傷吏辨條爫取含忍未戈醝𨢇咹吐過多房勞思慮合和補中傷食痞症通噫嗎痾惹爫排内消

内消丸 治食積 氣積

痞滿、青皮 陳皮 三稜煨 莪朮煨 神曲 麥芽 香附各等分 醋糊丸服三十丸 胃虛粗庄嗑懿香砂養胃爻料吏嗑 香

砂養胃湯 治脾胃虛弱飲食不進痛腹、砂仁 香附 蒼朮 陳皮 半夏 木香 茯苓 藿香 神曲 厚朴 山查 甘草 草果 姜棗 箕埃醝省盈瘖

數䀡命脉脟痾損哀醽爜㷂毒強稽遣㪯嘿嗎幽迷吶咣葛花鮮醒煎湯

吐飲吏省熷𤻻平怜 葛花鮮醒湯 治鮮酒毒嘔逆 葛花 砂仁 白豆蔻各五分 木香 茯苓 人參 陳皮 豬苓各一分 青皮 乾姜 焦朮 澤瀉各三分

神曲二分 爲末 白鹽 武酒湯下 渃茶吐肴千醝庄吉渃積𦛌呰嗎看𦛋濡𧰡似鐵𡄨㑲鐄𪐴宇庄安

工悉吐貢消飲温中買咍㗂𤄷神通助㪯扒除酒色堆厄調連𡎝𡗶跬𢘾旦𦝀

鬱痰消飲温中丸 治留積停痰嘔吐腹脹、炒朮二両、茯苓五分 只實 乾姜各七分 鍊丸梧子大每服三十丸 鬱症買吏計𠸟娘龍倍㥺怯車

息盈㖼嘿共㗂盈闌二陳加味再存香砂蒼朮川芎倍加共湯六鬱氣和消通

痰痰

加味二陳湯 治痰鬱痞滿 陳皮二〆 製半夏一〆半 茯苓八分 越麯丸 并治六鬱 蒼术 神曲 川芎 山
甘草四分 加香附 砂仁 川芎 蒼术 右姜棗煎服 梔 香附 等分 姜湯下 如氣虛用
四君 血虛用四物 春加防風 六鬱湯 治服脹飲食不消 陳皮 半夏 川芎 蒼术 各一〆 茯苓 山梔 砂仁 甘草
夏加姜活 秋冬加吳茱萸 各五〆 香附二〆 右剉姜三片 水煎服 如飲食成鬱 加神曲 山查 麥芽

更論痰積胸中上下無窮滔喉喘逆以排瓜蒂千緡嗎看毒氣痰連特通

瓜蒂散 治吐痰氣上行不得息 如諸亡血虛人不可用 瓜蒂 赤小豆
各五〆 為末 用豆豉一撮煎湯下 得吐即效 或鹽湯下
千緡湯 治風痰壅盛 哮喘不得臥 半夏七〆 生皂角
一〆 甘草一〆 姜三片 水煎服 或嘿息煙臍闊大腸乾燥工悉庄安醐辰 千緡導痰湯 茯苓 只殼 甘草
半夏 南星

迷相乱单意症痰積滾痰利消 滾痰丸 治濕熱生痰 小兒驚風痰盛 黃芩四兩 大黃酒
蒸四兩 沉香二〆 青礞石煅五〆 散末 竹瀝 燒以
水為丸 硃砂為衣 每服
四十丸 茶水湯下 痰嗽呼吆咀㲒二陳加減姜調煎湯 加減二陳湯 主治痰飲 陳
皮二〆 半夏一〆
茯苓一〆 甘草五分 貝母一〆 只實 白术 黃芩 香附
連翹 防風 天花粉 各五〆 水煎服 傷風呼咀痰涎鼻塞滔鼽泄連輸鼎吏

痰
咳嗽

用參蘇飲去杏仁桑白加荊防擾 參蘇飲 人參 紫蘇 前胡 半夏 乾葛 茯苓 木香各七分 陳皮 只殼各五分 甘草三分 加薑棗 水煎

最嗽旦併朝呼乾，意疏痰火肺消空痰，人參半夏桑沙石羔知貝杏甘

桂苓、人參潤肺湯 治肺燥咳嗽痰結乾 白茯苓 人參 麥冬 石羔 知母 麥參各一錢 桂三分 加麥冬 五味子 水煎服 半夏湯 治咳嗽痰盛 半夏 黃芩 瓜

杏仁 茯苓 黃芩各 甘草減半 呼朝旦最嗽，四物加味補潤健脾 加味四物湯 治陰虛火動咳嗽胡哭 當歸 川芎 白芍 生地

各一錢 知母 貝母 桔梗 貝母 杏 桔梗 麥冬 茯苓各五分 水煎 驚吐呼出痰特，意思食積，依火痰吐，貝消積 蒼朮 痰利咎

痰氣更算補脾 消痰丸 治食積咳嗽 山查 蒼朮 香附 陳皮 半夏 茯苓 知母 地骨皮各一兩五錢 右為末 丸糊如綠豆 因症變動

鼾喘逆呼噫，發時則安寬，疏肺脹虛寒，二陳加味乾姜湯調 二陳湯 陳皮去白二錢

半夏一錢半 茯苓八分 甘草四分 濕痰加白朮 蒼朮 寒痰加乾姜 燥痰加瓜蔞仁 杏仁 桔梗

火痰加黃連 枳殼 老痰加海石 風痰加南星 咳嗽加五味 桑皮 杏仁 款冬花 貝母 ……水煎 痰喘呼逆喘急

雜二母簡消症喘、二母湯 治陰虛火喘乾咳、知母去皮 貝母去心各二ツ 人參 當歸 山梔 天門冬、麥冬、玄參 吉梗各五分 天花粉五分 甘草 薄荷各三分 姜三片 加烏梅

喘氣症因痰瓦用湯蘇子合剔四君、蘇子降氣湯 蘇子 前胡 姜汁炒 厚朴 陳皮去白炒 半夏姜炒 合四君治氣虛咳嗽 人參咯

焦朮二ツ 茯苓 甘草一ツ 肉桂三分 姜棗、水煎服、紫蘇湯、治外感咳嗽氣喘痰壅、紫蘇 升麻 陳皮 杏仁 桑白 人參 半夏 肉桂 甘草 姜水煎 陰喘曩術未申偷店

惱逼鼢寅可安、知栢四物湯煎痰甦氣盛喘嗜二陳、四物湯、熟地 當歸 白芍 川芎 加 知母 黃栢 姜三片

只梗二陳湯、只殼 吉梗 陳皮 半夏 茯苓 甘草 火喘簡爻欺唆毀未吏喘無垠咀呼、枳梗二陳紫

蘇共湯定喘前胡馬台、紫蘇飲、紫蘇 升麻 前胡 杏仁 陳皮 桑白 人參 半夏 肉桂 甘草 加只殼 吉梗 定喘湯 治哮喘痰氣 白菓 升黃芭炒 麻黃

款冬花 桑皮 半夏各三ツ 蘇子 杏仁 黃芩 甘草一ツ許 水煎服 係覧霍亂息滔霍香正氣湯瓦買双 霍乱症上嘔下泄腹痛甚者是此症無嘔泄名干霍乱忌食粥飯及生姜 霍香正氣湯 治內傷脾胃外感寒

邪霍乱吐泄并寒熱瘧症 紫蘇 霍香 白芷 茯苓 厚朴 大腹皮 白朮 陳皮 吉梗 半夏各一ツ 甘草四分 腹痛加木香 痢肴症嗎症通意乾霍亂輒用炒鹽 霍乱症忌食粥飯及生姜慎食遲不救

霍乱

炒塩湯 治霍乱欲吐不吐欲泻不泻心腹乾痛用食塩炒一捻水煎服得吐即止若不得吐再服即探吐法 四肢厥冷益添戊灰如滲落噎如拴五苓散合理中木香理吐拖空眼前 五苓散 茯苓 白朮 猪苓各二分 澤瀉二分 肉桂枝 姜三片 理中湯 治感寒腹痛手足厥冷吐泻霍乱脉沉無力 白朮 人参 乾姜各二分 加附子 肉桂 名附子湯 干疝筋轉滲運木吏湯梅吐連吏衛 木瓜吏湯 治傷暑湿霍乱煩渴泄泻 木瓜 茱萸五分 食塩五分 武畀泄泻涌又嘔吽喝落合用四苓 治傷暑湿泻 猪苓 泽泻 白朮 茯苓各一分半 疝恙蓋親庄聲濡膝冷又吐排胃風 胃風湯 治泄泻腸鳴腹痛下痢傷癖便膿血日夜無度 人参 白朮黄土炒 當歸 川芎 白芍 肉桂各七分 糯米百粒 腹痛加木香

寒泄小便清冲庄固渴落理中湯藥 理中湯 人参一分 白朮二分 乾姜 胃苓湯 治中暑傷食泄泻脹痛小便不利米穀不化 蒼朮米泔浸炒 厚朴 陳皮 白朮 茯苓 猪苓 泽泻各一分 白芍炒七分 甘草五分 濕瀉落庄悶啖燥催吏嘔隊吝相連升麻除濕湯煎益智半夏共緘加剔 升麻除濕湯 治泄泻日夜無度腸鳴腹痛 升麻 柴胡 防風 神曲 泽泻 猪苓各五分 陳皮 半夏各一分三

下痢

附 真人養臟湯 治二便冷熱不分下痢赤白或便血如魚腦裏急後重臍腹疼痛或脫肛墜下酒毒便紅等如勝寒者加附子 罌殼一ㄨ 人參 當歸 白朮黃土炒各二ㄨ 阿膠六分 甘草九分 水煎服 肉桂四分 肉蔻三分 木香七分 乾姜四分止

下痢買吏計排脺疠郡ㄡ嗒䏍哝ㄡ呸湯導滯利踈鳥通歇積病辰特安覓

屎赤白𧖱边木香烏藥芩連加𠛌例糞溢仍𫢩矜煎紅烏藥湯厄強天糞

罨仍䶊昆𦃢木香順氣𠊛料吏安 導滯湯 治下痢初起色赤腹痛裏急後重 白芍一ㄨ 黃芩 黃連 當歸 大黃各五分 活石 山梔 檳榔

木香芍藥湯 治下痢赤白相雜腹痛後重 白芍一ㄨ 烏藥 黃芩 陳皮 青皮 黃連 澤左 當歸尾 活石 甘草各五ㄨ 磨木香服

只殼 木香 甘草各四分 水煎服 煎紅湯 側百葉

黃連 黃芩 青皮 只殼 地榆 雞郎 甘草 木香順氣湯 木香 烏藥 陳皮 白芍各一分 車前子 黃連

歸尾各五分 車前七葉 灯心十根 水煎 黃芩 黃柏 只殼 歸尾 甘草 兵郎各五 灯心一撮 姜

嘔吐

論症嘔吐胃寒氵庄圍渴渃小便清沖丁香安胃合冷二陳加縮砂丁湯炮或𧵑胃熱

渴滈辱因脆㶣哇趴嗎罨二陳湯吏料加芩連枝子枇杷𤽗竹青 丁香安胃湯

關膈

治胃虛嘔吐、蒼朮 陳皮 黄芪 人參各一入 當歸 草豆蔻 茱萸 丁香 升麻 柴胡各五分 黄栢二分 姜三片 水煎 或加丁香 肉桂 乾姜 水煎

關膈吏辨未精斂達鼾隮鼇行熻台五膈寬中飲尾或大承氣 六陳加味湯 半夏 陳皮 茯苓各一入半 甘草 分 加黄芩 黄連 山梔 竹茹 如蕪

下剔吏安 五膈寬中飲、治胸膈痞悶飲食不下腹脹痛一切冷氣、青皮 陳皮 砂仁各四分 厚朴三分 甘草 丁香 白豆蔻各二分 右為末 塩姜湯 或加半夏 南星亦效

呃逆

固症呃逆嗝達丁香柿蒂外添治蘇呑酸酥古吸吁旺員清化效用欒仙龢憩息

嘈雜

熞嚷蓮意症嘈雜咀噬音恍木香順氣沽心共員越麴服拎效台 丁香柿蒂散

治胃氣寒弱呃逆嘔吐、丁香 柿蒂 人參 茯苓 陳皮 良姜 半夏各一兩 生姜一兩半 為末 服三入 沸水道下 黄連清化丸 治胃熱呑酸 蒼朮 茯苓 半夏各一兩 黄連 陳皮各一入 茱萸炮 仁各五入 糊丸、姜湯下 木香順氣散 治嘈雜胸腹滿悶不思飲食 木香一 益智仁一 草豆蔻一 人參三入 乾姜三入 茱萸鹽三入 蒼朮 厚朴 青皮 半夏 茯苓各一入 當歸 澤瀉 升麻 柴胡各三入 姜三片

越麴丸 治鬱滯膈痞滿、蒼朮 神曲 麥芽 川芎 山梔 香附 山査 等分 為末 水調丸 姜湯 如氣虛用四君 血虛用四物 春加防風、夏加姜活 秋冬加茱萸

浮腫

吏論浮腫頭面喘粗濕四用扁例禹攻。禹攻散 治氣滯浮腫小便不通 黑丑四兩 小茴香一兩為末姜湯下 陰腫命冷帶沖諾

庄国唱木通，寔脾陽腫口渴，趁皮小便赤澁帶，特庄通六君梔子門冬共湯澤泫

買通小便。实脾飲 治胃脾虛冷四肢浮腫 厚朴 白朮 木瓜 茯苓 乾姜 兵榔 附子 草果 木香各五分 甘草二分 姜三片 棗二枚 六君子湯 人參三ツ 白朮二ツ 茯苓二ツ 炙草一ツ 陳皮二ツ 半夏一ツ 加厚朴 山梔 麥冬 黄芩 酒水各半煎服

澤泫湯 泽左 猪苓 木通 只殼 茯苓 檳榔 黑丑 等分 姜蔥水煎 風腫頭面浮蓮頭面浮

痌用煎三和。三和散 治氣滯不行頭面浮腫 沉香 紫胡 大腹皮 姜活各三分 木香 白朮 兵榔 陳皮 甘草各三ツ 木瓜 只殼各三ツ 水煎服 頭痠隰腫浮

罨以五皮散乙畀消務。五皮散 治濕腫滿脹并小兒浮腫 大腹皮 桑白皮 陳皮 生姜皮 茯苓皮 一方去桑白皮加地骨皮 姜棗煎 氣腫痹

痌四肢浮罨仍膝息翻隱看小便庄利退難，分心氣飲論盤未精。分心氣飲 治腫脹小便不通 木香 桂枝 赤芍 赤茯苓 甘草 半夏 桑白皮 大腹皮 青皮 姜活 紫蘇 各一ツ 姜棗 灯心一把 水煎服

水鼓浮腫腸鳴膝奇彭ノヌ中滿

分消、中滿分消飲、治彭脹滿悶不思飲食、益智仁 知母 半夏 木通 茯苓 升麻各七分 川芎 人參 青
皮 當歸 生姜 柴胡 乾姜 蓽澄茄 木香 黃連各五ㄨ 黃芪 吳茱 草豆蔻 厚朴 黃
柏各一ㄨ 又一方、麻黃 澤瀉 姜棗 水煎
氣脹槑麵嗎毿 平肝子飲旺㕕更衝 平肝子飲、治喜怒不節肝氣不平 防風 只殼 桂
枝 桂皮 赤芍各五分 川芎 木香 陳皮 甘草 檳榔各三分 姜三片 水煎服
血脹喘息帶通糞黑合用承氣煎湯 桃仁承氣
湯、治喘息血脹便黑血積或譫語腹痛并治婦人經閉 桃仁三ㄨ另研 枳桂 芒硝各三ㄨ 當歸 柴胡 赤芍 青皮 只實炒各五分 大黃四ㄨ 水煎
熱脹滿渴帶鏔、旺員推氣
共湯三和 三和湯、紫蘇 陳皮 厚朴 檳榔 甘草 白朮 海金炒 木通各五分 氣虛倍白朮 血虛加當歸 白芍 推氣湯
寒脹命冷瘕脹小便清利脆和苦空 木香順氣旺斡外炎中脘相攻買效 木香
順氣散、治嘈雜脹悶不思飲食、木香 益智仁 草豆蔻 蒼朮 厚朴各二ㄨ 人參三ㄨ 青皮 半夏 茯苓各一ㄨ 當歸 澤瀉 升麻 柴胡各三ㄨ 右剉 姜三片 水煎服 灸中脘
取穴自中脘上四寸、用艾炷灸三壯
治水鼓及泄瀉飲食不進

熱勞

全買能　滋陰降火湯　當歸　白芍　生地各一錢　麥冬　甘草　黃柏　知母　遠志　陳皮　川芎各六分　咳嗽加五味　杏仁　六味地黃湯　大熟四錢　山藥

山萸各三錢　茯苓二錢　牡丹　澤瀉各一錢　或為丸　鹽湯下　加麥冬　五味子　名八仙湯　十全大補湯　人參　黃芪　白芍　茯苓　甘草　當歸　白朮　熟地　川芎　肉桂　加麥冬　五味

熱勞買吏計排盈闌庄臥愁西海煩逍遙清骨黃連秦艽鱉甲

常煎吏調　逍遙散　白芍　白朮　白苓　當歸　柴胡各一分　甘草減半　加地骨皮　山梔　麥冬　生地　黃柏各三分　水煎　清骨散　柴胡　生地　各二錢　熟地

人參　防風各一錢　薄荷　赤茯苓　胡黃連五錢　秦艽鱉甲湯　秦艽　鱉甲　人參　當歸　半夏　紫菀　甘草　各五分　柴胡　地骨皮七分半　梅　薑　棗　水煎　勞咳呼看咽[illegible]

噤啞痰潮散遙喉嗌人參潤肺咗苓桑皮五味加甘桔似湯　人參潤肺丸　治勞咳痰涎　人參

山藥　蓮肉　款冬花　杏仁　藕節　蛤粉　右為末　肉棗丸　白湯下　勞血呼乾坤當太平知母三黃四生血還計芙蓉十灰

犀角還經萬全　太平丸　治勞咳肺燥熱嗌咯血吐血虛勞　天冬　麥冬　知母　貝母　款冬花　杏仁　三兩　當歸　生地　熟地　黃連　阿膠　二兩半　蒲黃　京墨　桔梗　薄荷　一兩

射香少許爲末，蜜丸，食後細嚼一丸，薄荷湯下。丸如彈子。

三黄補肺湯　生地　黄芪　當歸各八ソ　白芍七分　熟地一ソ　柴胡　升麻　川芎各五分　或加丹皮

四生丸　生薄荷　生艾葉　生栢葉　生地黄　治吐血症

十灰散　治吐血　栢葉　茅根　益智仁　大薊葉　山薊葉　大黄　山梔　牡丹皮　棕櫚各一燒存性

勞瘵異症前緣耀於庄賢黠發

艱危陰異勞瘵傳屍青蒿神授旺朝常能或異旺庄覓能當前催意尉西拯除神

青蒿骨散　青蒿一斗五升　小便三碗　用文武火熬三沸　甘草末收貯　每服一ソ　白水湯　一方加砂仁　梹榔各三ソ

神授散　川椒去梗并目炒出汗　散末　每服六米　白水湯或酒糊丸　每服三丸　酒湯下　昔有人患虫屍　用川椒三分　線根一分　服甚効

眩暈

忌鼓眩暈吏論疾頭摽楯三因茶調七情思慮歎遙虚眩摽楯必排六君産后摽楯磋運清魂酒製調均服爲例

三因茶調散　川芎　荊芥各四分　薄荷　白芷　独活　羌活　防風各二分　細辛　茶湯下

清魂散　治眩暈并産後血暈　川芎　澤蘭　人參各一ソ　甘草八分　爲末

痰眩疾運昌精虚勞摽楯碾乖如邪二陳芎防天麻竹瀝姜

汁吏加連芩 二陳湯 茯苓 炙草 陳皮 半夏 又加川芎 升麻 白术 各一钱水煎入姜汁竹沥服并治妇人產后血暈不省 又方 茯苓 半夏 陳皮 黄芩 天麻 竹沥 荊芥 姜水煎服

痰頭边左屬陰以排四物酒芩蔓荊 痰屬边右三生二陳蒼术遠荊芎防 痰頭昌精

边斛弋自班爛干中吏膳選奇熟地上清倍加蔓荊共湯澤泻又迪停血安 四物湯

熟地四钱 當歸二钱 白芍二钱 川芎一钱 三生飲 治痰厥昏迷及中風喎斜 川芎 生附子各一钱半 生木香五分 生姜五片 二陳湯 陳皮 半夏 茯苓

加酒芩 蔓荊子

甘草 加蒼术 川芎 當歸 選奇湯 治肩背疼 羌活 防風各三钱 酒芩 甘草各一钱 又一方 白芷 半夏 熟地 羌活 防風各味散末吹鼻孔中 清上泻火湯 治上攻頭

荊芥穗 防風各一钱

目眩暈火痰頭痛 柴胡 羌活 酒芩 酒柏 酒知各七分 甘草 黄芪 地黄 藁本

各四钱 防風 當歸 蒼术各三钱 紅花 荊芥穗 細辛 蔓荊子各二钱 紅花少許 水煎

胃脘痛

胃脘症意虛寒息於連脆痢肩症陳䄂提蔺艾叱分意症虛痛二陳炮姜 二陳湯 陳皮 半夏 茯苓 炙草 加姜炮 水煎服 息痢庄散 初根意症实痛用方煯黄 煯黄湯 雄黄研一钱 巴豆去油一钱 白芍

二月研均水丸如梧子收貯每用十二丸將漿水煎熟涼漿水冷內治
每服一時服一丸冬將漿水入化下日夜服盡十二丸滑利止不可再服 又服平胃散 霍香一錢五分 厚朴一錢五分 蒼朮八分 陳皮一錢 肆痢
〇梔子湯 梔子湯 黃連 白芍 梔子炒 鬱金炒 甘草 水煎 冷々痢帶莊身涼足寒用排草荳蔻丸共湯
朮附論並效台 朮附湯 附子 白朮炒各一錢 独活五分 川芎三分 桂心二錢 姜枣 水煎
腹痛 腹痛買吏排々計腹鄰恒滔欺簡欺痢意症熱痛積數旺湯承氣利侯買安
承氣湯 大黃三錢 只殼二錢 厚朴二錢 芒硝三錢 痢達四肢冷寒々排四逆湯丸理中 四逆湯 製附子五錢 乾姜五錢 炙甘草
二錢 理中湯 白朮炒 人參 乾姜各二錢 痰々痢欺痞欺適二陳加味朮芎姜調 二陳 茯苓 甘草 陳皮 川芎
蒼朮 姜三片 千々痢大便簡消意々症積食々料木香
論症々痢腹過昌末爪牛必紅方醋淫

脇痛

脇痛翦切症消於边肩左用料踈肝肩右息煙氣寒、台排稼穡血散調劑

踈肝散 柴胡 陳皮一钱二分 川芎 赤芍 只壳 醋炒香附各一钱 炙草五分 稼穡 陳皮 半夏 只壳 黄姜 桂心 甘草 姜 台二胸排當逷飲

柴胡龍胆加荆平分、 柴胡 龍胆草 川芎 白芍 青皮 香附 當逷 木香 砂仁 甘草 姜

風痺

論症風痺不仁、犀迷盈愊䐁蹎、礫泥、台排天麻黄、芪煎服即時氣散吏

消痺風属血痺痠、防風四物湯調吏安 防風四物湯、 防風 川芎 當逷 朴硝 黄芩 桔梗 石羔 滑石 白术 連翹 甘草 梔子 薄荷 荆芥穗 姜三片

氣痺蹎冷皮寒、天麻湯飲寬ㄡ買效 天麻湯、 天麻 南星 全蝎 白术 五靈脂 陳皮

防風 秦艽 黄芪 烏藥 紫蘇 薄荷 黄芩 茯苓 人參 蒼术 甘草 麥芽 白芷 神曲 草果 雄黄 川芎 細辛 姜煎服、 風氣血痺濕痠、台三痺飲、

風消強辛 三痺湯 姜活 防風 白术 牛蒡 防巳 甘草 寒、痺膝冷蹎、疴犀盈爑冽弋頭勁啚

独活桑寄生湯吏添附子乾姜朮乍 独活桑寄生湯 治脚氣腰膝骨痛痺緩症 独活三以桑寄生白芍生
地當遠杜仲牛必細辛秦艽茯苓人参 桂枝防風川芎各三以甘草姜加附子乾姜
濕痺頭碟腫稱加減平胃湯蘇效台

耳聾
耳聾聰的計排病疾隊聊鳴耳吽榮屬衛風熱計詳防風通聖梔香甚效
防風通聖散 防風當遠川芎赤芍大黄芒硝連翹薄荷麻黄各三分石羔黄芩桔梗各五分 滑石一以荆芥白朮山梔一以甘草一以姜葱水煎
梔子炒柏子仁只殼覆盆子故紙 蒺藜子鹿茸麥門姜水煎
曹聰落沚蛩趨实罡耳熱以料蔓荆
屬衛陰虛耳鳴四物知栢蘇榮方傳腎虛聊聰吽達
以排益腎吐貢吏饍

目痛

吏論目痛未明相𧥇多淚㤲行在肝𠮩喋吏添疠弋洗肝旺昜例 五行四季春用洗肝夏洗心秋用清肝冬用溫腎 固𣦍疠𠀧數𣈜化𦊚脱夢數𣈜庄安吏添術選埃傳劄芭鋸夢𠊛喊害𣦍卒侵麻霰瞳埃尋方櫟𠢞𥎁㤞𣦍些還睛金貝蟬花散罨麻旺落茶湯遂

疠數肝腎調虛尋方補腎号罡滋陰

吏論口舌屬心𦓡枯枚瘖阴㤶怞車内服凉膈升麻外塗蝻蜜調和黄丹

咽喉疠古𪪳難吏添膿洌呼看固痰

咽喉

凉膈升麻湯

人參敗毒凜𠃣共貟碧玉旺添吏平 外用竹刀刺血出 人參敗毒散 羗活 独活 只殻 柴胡 前胡 桔梗 赤茯苓

人參甘草各等分
或加金銀花連翹

蟲痛

齒病唅𠻀疒刃𩯀埯揀疾痾吶𠃣強𢚸旺員立效煎溫意方止痛庄羣𢇉于

𩯀疒刃𤿰腜淫虎固方爍效玉池牟牢

鼻塞

鼻塞曾𪖫吸嗽味𧶄坤別研芇朱通尋方麗澤旺𠁀吏添白芷防風查劑

鼻淋渃𪖫偷鼻日辛夷剉芥去冷肺寒、鼻瘡𪖫痔艰难𪖫時税瘖固丸木

番𦗏得濡渓怵車內脈通丞外查桔礬

失血

上部失血吏盤吁𢀨覔鼻寬又乜𢶢寔㝵病黜肺焦血鷄蘓散芆料甚𧿆咯
痰覔覔鼻𢀨𡏧㝵血在腎用𣇞𠛌阿膠咯𢀨鼻沚泃又意血在腎危窂還豢雙阿
回物堆方童便梔子竹姜製𠇍衄血𪘲鼻𢀨𢶢意血在肺外調髮灰犀角鬱
金旺催靈仙櫟𠳨㪚𪞷效台

犀角鬱金湯 黄連 犀角 鬱金 乾姜 澤左 玄參 甘草 菊花 赤豆 黄芩 麥門 毛根 姜三片 犀角地黄湯 治瘀血便黑鼻衄 狂言腹痛 犀角
牡丹皮各二分 白芍一分半 生地 黄芩各三分半 犀角調服鼻衄
當歸一分半 陳皮 甘草 桔梗 紅花各七分 水煎熟 磨 衄加梔子

下部失血計排滯𢀨丸鼻閙

血淋特四物湯、小兒帶弟

砂蒲黄、蒲黄散

膀胱煒煩升麻甘草益元芭鈆心叉車前利消、蒲黄湯 赤小豆 叁子 牛夕 阿膠 地榆 姜水煎

升麻甘草湯 升麻 防風各等分、龍膽草 甘草 藏羊、細辛 三分 婦人帶血罨蹺排當遞散血調吏安

當遞散、當歸 生地 赤芍各二ソ、蒲黄炒為末 白湯、老人帶血氣寒腎虛六味丸丹調和、熟地八月 懷山 山茱各 四月 白苓 牡丹 澤瀉各

三丸附製一丸煉蜜丸盞湯下、小便不利加車前子 大便常覓舜罨覷如血个號曰腸風常血淡々庄紅意

痃臟毒混同勞抄、腸風韌旺養丸、加味四物製抄去邪、膠毒地榆槐花結陰

丹脈旺和吏安、

痔漏

痔漏木於肛門渃鑛買鼎罍連庄停參芪槐花炒煎吏𠃌𤓢痞膏仍塗外

脫肛

脫肛𠯿　台補中益氣旺矜收𠓨外特槐角洗炒吏尋五倍相交塗𣅶例　補中益氣湯　黄芪一錢五分　土炒白朮　人參　當歸　炙草各一錢　柴胡　升麻各三分　陳皮五分　姜棗　水煎

厥冷

論症厥冷𩈘栖嗽撑庄渴寔危症陰理中四逆千金𤒘厥嗽覩術分症陽人參白虎症正方喉𡅏渴渃倍常吏加產后血冷強加以白薇散乙𡗶回陽　白虎湯　生石羔五錢　知母三錢　甘草一錢　粳米二錢

顛狂

顛狂推症𤍠詳、症顛恍惚歎、嗔、欺、慍、盈闌容貌每危歌唱吶嗔実病在心、症狂恨句音ヌ嘈吶嗜ヌ実病在肝、症顛蚕繞燒炭、酯醲和旺湯丸和均

吏云滋陰寧神、旺湯涼血心神省連、

症狂苦参控涎共涼膈散貝貟三黄、

驚悸

吏論驚悸怔忡、安神定志胆湯歸脾、　朱砂安神丸、黄連六ソ、生地甘草各一ソ、當連一ソ半、為末水丸白湯下

立志丸　遠志、石菖蒲各二兩、人参一兩、蜜丸朱砂為衣、　温胆湯

歸脾湯、人参、白朮、當連、白苓、棗仁各一ソ五分、黄芪二ソ、遠志七分、甘草五ソ、竜眼肉五枚

消渴

尼症消渴強稽嗽枯涸渴落病隨肺金旺排白虎人參麥門五味黃芩山梔白虎湯 生石羔五分 知母三分 生甘草一分 粳米二分 麥門 五味子 黃芩 梔子炒 咽枯渴落無期嗌耕吭咽病隨中消生津甘露芝料飴法胃熱爍腰方年 生津甘露飲 當歸 生地 石羔 知母 酒芩 酒柏 升麻 柴胡 龍胆草酒洗半生半炙 防風 防巳 羌活 杏仁 紅花 桃仁 水煎服 天一生津湯 知母 天冬 麥冬 人參 白芍 生地 當歸 升麻 甘草 木瓜 加葛花 天花粉 水煎 腎熱渴落昌疠帶罨如渤罨斷庄調病於膀胱下焦 六味補腎芝料清心 六味補腎丸 大熟地八兩 山藥 山茱四兩酒蒸 茯苓 澤瀉塩炒 丹皮酒炒各二兩 蜜煉丸塩湯下 加麥冬 五味子名八仙湯 清心蓮子飲 人參 黃芩 黃芪炙 蓮肉 茯苓 地骨皮 車前子 麥冬 甘草 水煎 実熱加柴胡 虛熱加黃柏 知母

白濁

使濁帶挾似淋嗆罨疒漏音愰怯車八政清心吏加黃蓮竹葉熱邪生散白濁帶挾屬寒 二陳加味吏萆升提升麻二朮艾遠劇以芝戩姜特

湯煎八政散 車前子 瞿麥 扁蓄 活石 山梔 大黄 木通 甘草等分 灯心五十根 姜三片 二陳加味湯 陳皮二戈 半夏一戈 升麻 柴胡 蒼朮 白朮 當歸 茯苓 甘草等分 加艾葉 生姜三片 帶疠息煙膀胱意症淋閉小腸㶼陰八政共排五淋堆方爍駅千金

秘傳五淋散 當歸 甘草各等分 赤茯苓六分 赤芍 山梔各一戈 水煎合八政 八政散 車前子 瞿麥 扁蓄 活石 山梔 大黄 木通 甘草 灯心五十根 姜三片

血淋

血淋帶覔𦓡兆小腸㶼炜正權白薇石羔故紙芎歸散𦓡連旺血時消空帶挟𪰛秘𪰛通意症瘀閉用功二陳吏添烏藥砂仁木通香附調分未詳

白薇散 白薇 赤芍 各等分 每服二戈 加故紙 石羔 當歸 尤炒 加味二陳湯 半夏 陳皮 茯苓 甘草 加烏藥 砂仁 木通 香附各五分 姜三片

疝氣

症下囊唅罒疝氣脫沛連偏墜病㤃欺疠欺色糢胡曷連曷翻疠撅隊番弋胲弋脿吋連吏添帶庄安韓侖𠃣排加減柴苓共𠳨橘核色停塊㤃

白葱散 治一切冷氣入膀胱疝痛 又治後產瘀血刺痛百節痠痛 川芎 當歸 熟地 白芍 三稜 莪朮 厚朴 茯苓 官桂 乾姜 人參 神曲 麥芽 川練皮 青皮 茴香 木香 等分 白葱一握 右剉水煎 入食塩少許 如便秘加 加

加減柴苓湯 治濕熱疝氣 柴胡 半夏 茯苓 甘草 白朮 猪苓 澤瀉 杏仁 山藥 等分

橘核丸 治癩疝卵核脹痛偏墜腫脹 橘核 海藻 根布 海帶 桃仁 各一兩 厚朴 枳殼 桂心 玄胡索 木香 木通 各五分 酒糊丸如梧子 每服五十丸

濕疝玉莖稱蘇鬧繼庄便埃

胡闊之旺排松核消彭買能罷藥渠奇以牢

荔核散 茴香 荔核 青皮 等分 右剉 剤並炒令黃色勿焦 傾墳 土上去火毒 為末 每服二戔 酒湯

脚氣

脚氣於蹟弋痾 以排五積散特效 双蹟痿形似馬扛 意症隰腫 上悉嗌咳旺貿

蒼栢散 彭更漆湯 餡服 軻效台

五積散 白芷 川芎 白芍 當歸 茯苓 甘草 桂心 各二戔 厚朴 乾姜 八分 枳殼 五分 桔更 一分 半夏 二分

蒼朮 七分 姜 三元 葱 二莖 加 牛膝 木瓜 防風 水煎

二炒蒼柏散 蒼朮 塩炒 黃柏 酒炒 各五戔 水煎服 二味皆有雄壯之氣 如氣實加酒少許 氣虛加補氣藥 血虛加補血藥 痛甚加姜汁式

為丸治一切脚氣寒風濕㽷或腰痛股腫等症

加味二炒蒼栢散 蒼朮一兩、白朮八分、知母、黄柏、黄芩各五分、當歸、白芍、生地各四分、木通、檳榔二分、羌活、独活二分

關節散 治風濕、木通、防風、牛膝各三分、甘草一分、姜、水

紅花蒼栢散 蒼朮、黄柏、紅花、生地、竜胆草、牛膝、南星、川芎、酒糊丸、酒湯

腰痛

腰痛買吏計排𤷱𤸷𤺋実𡗶腎虚立安員意神机共湯独活旺朱腎調或𡗶外感風搖𤷱𤸷吸䶵用料人參

立安丸 萆薢二兩、故紙、木瓜一兩半、續斷、杜仲一兩、牛膝一兩、如梧子丸、治諸班腰痛

独活湯 治勞役腰痛、羌活、独活、黄芩、連翹各一兩、炙草、防己、黄栢各三分、水酒湯下

人參順氣散 人參、川芎、桔梗、白芍、白朮、陳皮、麻黄、甘草、白姜蚕、水煎

瘡疥

外科生疹諸瘡癩瘊渃鐄旺排消風

消風散 治諸風瘡疥赤癜白癜風癩楊梅瘡疹並宜治之、荊芥一兩、人參、甘草、白姜蚕、川芎、防風、霍香、蟬蛻、羌活各一兩、厚朴、陳皮各五分、右為末、酒湯下

癩瘊𡗶䶵成膿固疸紫紅意症大瘡通圣朴去硝黄散𡗶麻旺大瘡吏𦝄

防風通圣散 防風、當歸、川芎、赤芍、連翹、薄荷、麻黄各三分、石羔、黄芩、桔梗各五分、滑石一

癰疽 火丹

ソ荆芥 白朮 山枝一ソ 甘草一ソ 姜葱
加蟬蜕 參苦 白姜蚕 酒湯化下
瘕癥庄因瘀稱意症血少滯凝虚邪消毒四物
紅花散罨麻旺血邪卞散 活血四物散 治瘡疥經久不愈 川芎 當遠 白芍 熟地 各一ソ 桃仁九个 紅花 甘草六分 蘇木八分 連
翹 防風各六分 當遠飲 治遍身瘡癩濃水浸淫 川芎 當遠 白芍 生地各一ソ 何首烏 黄芩 甘草各五ソ 防風 荆芥ソ 白蒺藜各一ソ 姜三片 掃光散 治瘡疥 桔礬一月
硫磺七ソ 五倍子炒 川椒各五ソ
為末清油調塗痛處
犀角消毒飲 牛蒡子 荆芥穗 防風 甘草 黄芩各等分 水煎磨犀角服 吏論癰疽火丹初
發熱寒凶敗毒湯外塗霹靂大黄敷旺活命膿瘡消疥 人參敗毒散 羌活 独活
只殼 柴胡 前胡 桔更 赤茯 人參 甘草各等分 水煎 或加金銀花 連翹 霹靂方 天花粉一月半 黄姜 白芷 赤芍各五ソ 茶水塗患處 活命飲 甘草節 赤芍 白芍 白芷 天
花粉 貝母 乳香 防風 當遠 白芷 陳皮各一ソ 金銀花五ソ 没藥
五分 大黄五ソ 穿山甲五片 好酒入瓦罐煎 密封罐口 勿泄氣 貪熱
調服 膿罨肜觀肜嫩庄枯庄
燥駭犀羌ヌ托裏消毒煎湯旺臥散血消瘡嬌煩敷吏旺排十全補氣調血

扶打

堆边充滔、十全大補湯、熟地四ㄨ 靈黨三ㄱ、白朮 當遠各二ㄨ 茯苓二ㄨ 白芍一ㄨ五分、川芎一ㄨ、炙草五分 炙黃芪二ㄨ 肉桂六分 大棗二枚

吏論我馭沙撲、打扽瘀血息滔噜罨道滯四物紅花桃仁只壳再加大黄乳香定

痛煎湯吐邑間瘢潤腸利消外塗生姜朱毯小童便吐爻料吏安渚用味冷味、

寒、實散瘀、血論盤精分、當歸導滯湯、大黄 當遠等分用每一月、好酒清水各半煎服、四物湯 熟地 當遠 白芍

川芎加桃仁紅花只壳大黄、鷄鳴散、治登高墜下、并損傷瘀血大黄一月 桃仁七粒 杏仁 當遠各五ㄨ 右酒煎五更鷄鳴特服取下惡血即愈

乳香定痛散、乳香 當歸 白朮各二ㄨ、白芷 没藥 甘草 姜活 人參各一ㄨ為末、每服二ㄨ溫酒并童便調服 乳香黃芪散 治折扶損傷乳香 當遠 白朮各

二ㄨ、赤芍 川芎 甘草 麻黄 人參 瞿麥 陳王丹、大黄二月 石灰六月用炒灰紫色為度篩過敷患处一方加小兒髮灰、没藥

粟壳蜜炒各味水煎服、

乳香 蒲黄少許為末用木詞根鼠子擴爛阴乾、

不問刀箭出血木石損傷敷之如神且免破傷風症、

室女婦人科

乙科室女婦人油麻痳症血分庄調朱絨鎮緘散逍四物為主藕桃紅花

四物湯 主治婦人室女諸般血病及胎前產后與男子陰虛血少並治之 當歸二ㄨ酒洗炒 白芍二ㄨ酒炒 熟地二ㄨ半酒浸炙 川芎二ㄨ炒 水煎 挾風加防風羌活 熱甚加黄芩酒炒 煩燥加天門冬 虛寒加肉桂乾姜炒 陰虛火動加知母黄柏酒炒 咳嗽合二陳湯 日輕夜重倍當歸川芎 瘀血加桃仁紅花藕朮 經閉加大黄當歸尾 腹痛挾痰氣加木香玄胡索附子製莪蓬朮 婦人性急加柴胡側柏葉香附 惊孕痞癥加朴硝大黄各一ㄨ 妊娠胎動腹痛加白朮條芩紫蘇砂仁炒陳皮去白炒大腹皮 產后腹痛瘀血未盡加桃仁桂心赤芍 胎痛加木香山查 氣血兩虛合四君子湯

逍期經水唯蚕實累虛冷倍加參芪地黄芍藥芎歸官桂白朮陳皮乾姜月經蚕累熱腸意累鼎烊用湯歸脾地黄白芍當歸條芩知母黄芪升麻鼎丸顛細唯蚕芩連梔子紅花煎共鼎蚕淡ㄋ庄紅二陳四物血通吏調婦人血白散逍欺毖欺毖唷

脫如破袄韋庄圓醒灰煒肆徘徊意症白淫二陳貝母人參升麻二朮茯苓心
湯罨仍醒灰極當意症白帶用湯歸脾貝母益母加當歸木香赤芍蜜辰丹
員

納血遞脾湯 當歸一錢 白芍 川芎 人參 續斷 白朮 山藥 黃芪各五分 升麻三分 黃芩 知母各五分 莫菜 柴胡各三分 水煎服 小腹痛加山梔炒

加味二陳湯 陳皮 半夏 蒼朮 白朮各二錢 人參 茯苓 貝母去心 升麻 柴胡 黃芩 甘草各等分 姜湯煎服

歸脾湯 當歸 龍眼 酸棗仁炒 遠志炒 人參 炙黃芪 白朮 茯苓各二錢 木香五分 甘草二分 姜棗

益母丸 端午日採益母連根洗淨入石臼搗爛以布濾汁入砂堝內文武火熬成膏加沙糖 色為度 磁罐收貯 每服一匙 炤後湯送下 名益母膏

返魂丹 五月初五日或六月初六日採益母草陰乾忌鐵為末 蜜丸如彈子大 每服一丸 炤後隨酒湯送下

加味益母丸 益母半斤 加當歸 赤芍 木香各二兩 為末蜜丸如梧子每服五十丸白湯送下

按三方 功效亦同 如服百日有孕 如催生用童便湯下 如胎前臍腹痛刺 胎動不安下血不止茶水湯下 胎前產后各宜先用一丸童便入酒湯下定魂魄血氣調順諸病不生 如胞衣不下難產橫生胎死腹中炒鹽湯下 如產后中風牙閉緊急半身不遂失聲不語童便入酒湯下 如頭眼眩花如見鬼神不省人事 薄荷湯下 產后

血崩

血漏

經閉

中風恍惚肌瘦血風麻痺米飲湯下如惡露未盡結塊腹痛變烝衄血童便入酒湯下
如產后二便不通煩燥薄荷湯下乳痛米水調塗患処婦人無孕溫酒湯下此焰湯服一月見效　潤紅湯 附治經月不調過期
不行小腹急痛穢木姜活桂心青皮各五分丹皮
生地白芍當尾川芎陳皮各七分甘草五分水煎　固歇崩漏症安血唯蛋連意症血崩黃芩荊
芥朱雨棕櫚如聖醋恒湯遂　黃芩湯 白芍一ソ黄芩一ソ甘草五分水煎　荊芥湯 荊芥穗為末每服酒湯下　棕櫚如
聖散 棕櫚乾姜等分俱燒灰存性為末每服二ソ　烏梅肉 酒浸煎湯調服治崩血症　血蛋欺彰欺皮䏍空䏍固白斂白虧症
泥意異血漏淋漓哇湯涼血升提方仙芍藥地黃芩連天門地骨柴前地榆
涼血地黃湯 熟地當遆槐花知母黃柏各等分　又一方去槐花加生地當遆各五分知母黃柏各三分荊芥細辛蔓荊子黃芩各一分姜活防風柴胡各三分川芎藁本升麻黃連紅
花少許姜三片　血蛋頗沾路途芩連四物柴胡山梔　四物湯 熟芍芎遆加山梔黃芩黃連柴胡　固歇經閉
軫𧗿桃仁四物尾遆地黃牛必牡丹桂姜煎連麻哇䎱塘月經　加味四物湯

治經不行腹痛、熟地酒炙二半、當歸酒洗二ツ、白芍酒炒、川芎炒一ツ　經調買因胎生計
加只殼半、旁子、牛必、桂枝、丹皮、乾姜、桃仁、水煎服

安胎

産前
護産

自爻腡心情疰安魍粣嚧呬盤桓趍術痗瘍咀嘆音恱旺貟金匱清心意
方欒䣝千金秘傳、金匱當歸湯、一斤　又名安胎丸、當歸酒炒　白芍　川芎炒　白朮炒　黄芩炒各　右為末每服二ツ酒湯下或酒糊丸茶清送下

嘔吐

妊娠噁噁心煩、紫蘇參橘堆方甚效　紫蘇飲子　治妊婦惡心吐心煩腹痛　紫蘇葉　茯苓　陳皮　人參　蒼朮　白朮
各一ツ厚朴　甘草
各五分　姜棗煎、參橘湯　人參一ツ、橘皮一ツ、茯苓一ツ、厚朴姜汁炒一ツ、甘草　白朮一ツ、麥冬一ツ、竹茹一ツ、姜汁浸炙水炒　姜三片　胎前隱冷令

子腫

脘蹪䄂浮腫礹朝怡車、金生白朮散、小便不利旺和木通、金生白朮散　治子腫症
小便不通、白朮炒　生姜皮炒　大腹皮　茯苓皮
陳皮炒　桑白皮　等分為末每服三ツ米飲水下
又　赤苓　冬葵子　等分為末
每服五ツ溫水湯下
木通散　香附　木通　柯子皮　木香　只殼　大腹皮　條芩　紫蘇
吉梗　姜三片

子煩

子煩慍愊鯽悉麥門知母遠芎保懷　麥門知母湯　治子煩症

條芩 知母 麥冬 茯苓
防風 竹葉 水煎服

歸芎湯 當歸 川芎 阿膠 桑寄生
豆蔻 葱白 水煎服

胎前息運如棋胞苔痂烓

子懸

䏝胎律積噲罡症意子懸用紫蘇飲芎川陳皮紫參大腹當歸甘草

香附山梔條芩

紫藕飲 治子懸症 藕葉二錢 大腹皮 當歸 川芎 白朮 陳皮各五分
人參 甘草各三分 一方加山梔 香附各五分 姜葱煎服

子淋

固胎沛症子淋帶捻音恍吐排安榮車前葵子茯苓共五淋散水清煎㓨

冬葵子散 治子淋症 冬葵子 當歸 桑白皮
赤茯苓 赤芍各等分 姜葱水煎

車前子飲 治子淋症 赤苓 赤芍 當歸 兵
榔 木通 陳皮 車前子 滑石 石葦

水煎服

五淋散 當歸 甘草各五分 芍藥 山梔各一錢
赤茯苓七分 水煎服

妊娠𡗶穇腨遊變墨腫滿唅尼水

水脹

胎台蹎浮𥗽奇台鷴坒泥𥗽以排鯉魚䄶𤂬𩏟肆㛙如補丐祀落合諸

味㐌當歸白芍酒炒茯苓白朮查咍同煎

鯉魚散 治子腫症 當歸酒炒一錢半
白芍酒炒一錢半 白苓一錢

陳皮五分鯉魚一尾先以鯉魚去鱗腸水煮熟取汁天仙藤散治妊娠三月以後兩足腫烈出
入各味生姜七片同煎温服水香附陳皮甘草天仙藤
漏胎
烏藥木香為末每服二戈妊娠罨邪庄安胎煒心煩意症漏胎條芩白茯艾鮮
紫蘇葉煮湯下
芎歸大補正排靈丹芎歸大補湯治漏血症當歸川芎黃芩白朮各一戈人
參阿膠各六分棗一枚艾葉三莖水酒煎
膠艾四物湯治胎漏當歸川芎熟地酒炒白芍安胎湯飲下治妊娠漏血脹痛當歸白朮生地
阿膠炒珠艾葉各一戈甘草三分白芍各一戈人參川芎陳皮各五分
胎動
紫蘇砂仁梔子姜三片治動胎症妊娠衄膝庄安痾胣盤桓意症動胎芎歸
黃芩甘草各二分
四物正排羣痾更服安胎湯藥安胎湯飲見上妊娠痾古痾膝痰涎禁口
子癇
徵又聰聰意症子癇拘攣排荊芥散豆顛湯調單荊芥散荊芥穗一兩炒乾
為末用黑豆淋酒
調服又方治子癇症當歸川芎熟地白芍加乾姜牡丹秦艽妊娠煒冽歆遂疾頭
細辛防風痰加陳皮貝母茯苓甘草水煎温服

熱 摽痛呸料芎藭芍藥麥門前胡陳皮乾葛甘藭煎共或罢加減黃龍
地黃芍藥遠芎黃芩甘草柴胡人參水煎常服胎心安全 芎藭飲 川芎 陳皮 芍藥 白朮
各八分 蘇葉六分 乾葛五分 黃芩 前胡 黃龍湯 治孕婦寒熱症 柴胡 黃芩 人參各二分 甘
麥門各一分 甘草三分 姜葱水煎 草一分 血虛加川芎當歸 氣虛加白朮茯苓
胎動下血加阿膠艾葉 姜三片水煎服 疢頭落鼬泏連呼看㷉洌正權參蘇黃芩桔梗前胡甘
草乾葛香藭姜調 參蘇飲 人參 紫蘇 前胡 半夏 乾葛 茯苓 陳皮 只殼五分 各七分 木香各七分 甘草三分 姜棗葱白 咳嗽加桑皮杏仁 麻黃 參
蘇飲 人參 紫蘇 前胡 乾葛 茯苓各七分 陳皮 只殼各五分 木香七分 甘草三分 杏仁 桑白皮 瓜蔞仁 姜棗葱白煎 見傷寒 去半夏 妊娠洌迆㷉䢫意
胎瘧 症胎瘧呸料柴苓柴胡澤瀉二苓參苓甘草水清煎共 柴苓湯 見傷寒門 如胎五
月以上去半夏 柴胡二分 人參 茯苓 白朮 猪苓 澤瀉各二分 甘草四分 姜棗
瀉 妊娠痾脆洱又小便清白胎宮冷寒呸排三

白更安武畀口渴心煩氣疼亦排芍藥木通再加白朮歸芎服拎　三白湯白芍白朮

白苓二分加砂仁厚朴蒼朮甘草等分　芍藥湯見下雜病門白芍二分烏藥黃芩陳皮青皮黃連澤瀉當歸滑石甘草各五分磨木香服加白朮川芎　胎前冷胞痛

赤白

陰蟗蟨赤白痢沉毛顛香連化滯丙皮檳榔甘草當歸芍芩黃連厚朴

人參木香只殼服拎殊腰　香連化滯湯青皮陳皮厚朴只殼黃芩黃連當歸白芍各一分滑石兵榔木香各五分

心痛

胎苦息娙庄消意疰心痛旺料火龍　火龍湯治妊娠心痛艾葉鹽炒一分半小茴三分川練肉炙三分水煎空心服

胎前二便不通翀腸烽燸子宮閉煩亦湯葵子葱煎更加只殼歸川寬腸

小便不利

冬葵子治妊娠小便不利頭眩葵子柴胡桑白皮赤苓赤芍當歸等分姜三片葱二莖　更論小產未詳一月料量亦排

雄鷄共湯熟艾當歸黃連清熱陳皮生姜　雄鷄湯治胎一月及三月茱萸白苓阿膠各二分麥門生

姜甘草白朮白芍芎分用雄鷄一嘴打死去毛腸淨尽煮熟去鷄取汁入藥煎湯服 二月稍加慚愫吏〻熟艾酒湯買蘇

熟艾湯 治胎二月 丹參 當歸 艾葉洗炒 人參 阿膠炒珠各五ソ 麻黄去節 炙甘三分 姜三片 三月小產血凝排雄鷄散垠停〻疴

阴四月小產血淋苔脹脉沉旺排菊花 菊花湯 治胎四月 菊花 阿膠炒五分 甘草 半夏姜炮七次 麥門 當歸 人參 姜棗〻艾葉煎服

五月阿膠湯和六月血邪排麥門冬〻 阿膠湯 治胎五月 阿膠炒二ソ 人參 生姜 旋覆花 當歸 白芍 黄芩 麥门五分 萸茱三分 後入阿膠再沸煎三 炙草各五分 水煎一沸入酒少許 後入調服

麥門人參湯 治胎六月 麥门 生姜 炙草 人參 熟地 黄芩 阿膠炒 棗二枚

七月特旺白葱八月合用排芍藥湯 白葱湯 治胎七月 白葱 半夏製 當歸 麥門冬 生姜 甘草 黄芪蜜炙 阿膠炒 人參 黄芩 旋覆花 芍分水煎

芍藥湯 治胎八月 白芍 白朮各三分 人參 當歸 甘草 厚朴 姜三片 九月半夏散當達生進腦藥湯寧纏

達生散 治臨產腹痛初起服下氣活血 大腹皮 甘草各二ソ 黄芩 白芍 白朮各一ソ 人參 陳皮 紫蘇各五分 黄楊三片 葱白五莖 水煎 如懷孕八九月

積塵宜此服之 豐胎前旦𣈜臨產計徐𣈜月滿生罂啻油春細安花血調氣順路

𦓡轢之房歎血氣損衰貝歇性急旦期沛怗料用達生紫蘇𪀄塘產後

買侯易生 達生散 見上 係干病膝蟄停病腠時渚固生𠸍𦓡吐排三合調和

三合濟生湯 治臨產腹痛腰痛當歸川芎各三分只殼香附 大腹皮各一錢紫蘇甘草各五分姜水煎 附方催生如圣散 如臨產腰痛方可治之

人參乳香各一錢神砂五分為末臨卧用鷄子清一片 除未下血共𦓡水漿閉隆仕𧦕邊

調末吏入姜汁再調冷服如横生逆產即此順之

床自然連蝠易床仍又渚膣妥蝠倍惻買初病膝𨒒娘亂罂侈𧧊難產症

訛倍㝵仙藥唅𦓡芎歸買員益母效𥡗催生聖藥用時無變 古芎歸

湯 治產后哥症 川芎當歸各三錢水煎入酒温服如臨產 鷄難加髮灰芭枝各一錢為末酒調服 益母丸 見產后門 川芎當歸白芍各一錢木香甘草各二分只殼

產后 諸症 瘀血

五分 乳香 髮灰各三分 生耒固仍𨀈膝旺員奪命朱毛渚遅 奪命丸

水煎服

或渴牛膝共能救特𣦍㑹罒福長生 牛必湯 治生產不順服此活水道令易生 牛必 瞿麥 棗

豆遝尾 木通各二ㄨ 滑石 葵子各五分 水煎服一方

無七豆如胞衣不下去瞿麥連進三服即下

生耒提𤂬朱冷買初產后心情渚安芎

遝吏入童便旺卧遂瘀血連通𡃼固𣦍去血過多𠆳鍼摞穪胥花憚㥿芎歸加

黑乾姜買清魂散推方強效 古芎遝湯 川芎 當遝各二ㄨ 初入童便服 如去血过多頭暈加黑乾姜 如外感風寒發熱煩渴加

血暈

乾葛 紫蘇 葛根 人參 清魂散 治產后血暈不省人事 荊芥穗炒四ㄨ 川芎 澤蘭葉 人參

水煎調服

炙草八ㄨ 每服三ㄨ 溫服入童便湯下或茶水湯調服

瘀血

或𠺥瘀血庄消𦛿𥿗病烇旺料白葱 白葱散 治產后瘀血 三棱 厚朴 川芎 當遝 生地 白芍 只殼 蓑朮 茯苓 肉桂

傷食

乾姜 人參 神曲 青皮 麥門 川練 肉棗仁 小茴香

木香各等分 葱白一莖入鹽少許 如大便閉加大黃 吏漆𤊧洌病胸或𠺥傷食𣫙悪病

發熱

咳𠯋排五積芎歸意方消血温脾效台、五積散 白芷川芎白芍當歸茯苓甘草 桂心各二ㄨ厚朴乾姜八分只壳桑
桔梗一分半半夏二分蒼朮七分
烏藥一ㄨ醋炒莪朮腹痛加莫茱 買生劇蹷鼎朱絨外感龔硂風寒發煒共冽隊干

疢頭渴渃庄安鉀悳剃歸合買黃龍柴胡四物血通吏調 黃龍合四物湯
柴胡黄芩人參白朮半夏川芎當歸
白芍熟地甘草各等分水煎服 買生唏𨖲倍𢀭勁腹啫呐啦嘈庄衝意畀産㕦

中風

中風剃歸散共黑豆飲湯 剃歸散 治產后中風不省人事荊芥穗當歸等分為末 蹎𢈱
每服三ㄨ黑豆炒淋酒調服又一方大豆子湯在下

血風

拘急挫（跬蹌）瘡懒怢慞悚仍症血風蓁艽姜活川芎半夏白芷防風黄芪地黄白芍
當歸茯苓白朮酒特𠆤湯大豆子湯 治產后中風禁口背項反引黑豆八升炒熏入無灰酒二斤 浸透臨用此酒一斤独活五ㄨ同煎温服
血風湯 治產后諸風手足痿弱骨節拘攣秦艽姜活白芷防風川芎半夏黄芪當歸地
黄白朮白芍白茯苓各等分為末案丸如梧子大每服五十丸酒湯下或水煎服

口噤

產后禁口坤當不語舌強時排七珍 七寶散治產后痳血迷心故令舌強不語川芎人參石菖蒲生地各一ッ防風神砂各五ッ八一方加細辛一ッ薄荷湯

痰

勢痰迷昧心神導痰加味只人湯和 道痰湯治產后痰涎壅盛不言言語牙關緊急有勢南星半夏二味俱用皂角白礬生姜煎透焙乾茯苓陳皮炙草只寔吉梗人參黃連姜炒黃芩白朮當歸木香甘草姜三片或隨症加竹茹姜汁尤妙

血邪

產母血亂如邪聼覩魍魎鬼魔吶喊吏用小補經湯或畏血少慚忙悽慠

聼又在恥悔惱心排十味未溫膽湯 小調經湯治敗血久變為浮腫并產后亂血譫語等症當歸赤芍桂心各一分沒藥另研琥珀另研甘草各一ッ細辛射香另研各五ッ右各味散末童便入酒姜汁調服 十味溫膽湯治胆虛驚惕及慢又夢遺陳皮半夏只壳各九分人參茯苓各五分遠志熟地棗仁各三分五味子九粒右姜三片水煎服

生來尪羸息滔發干烊

乳痛

洌脉厄症通旺天花粉還芎白芍生地木通流行旺來鞭泄冷冷意方

藥屯停救民漏芦蟬蜕瓜根吐共湯補方神效台、天花粉湯 治產后乳痛天花粉齿芎川當歸白芍生地壬不留行各二ㄨ木通甘草各六分姜三片 漏芦散 治乳汁不通腫痛漏芦瓜蔞实各三ㄨ蟬蜕五ㄨ一方用蟬蜕蝦五條為末溫酒送下仍食熱羹湯助之

喘嗽

產后嗽喘呼吟參蘇二母湯竭例生姜、參藕合四物湯又名茯苓補心湯 治產后感風痰壅脹滿淤血人參紫藕前胡半夏乾葛茯苓川芎白芍當歸生地木通各七分陳皮只売各五分嗽加桑皮杏仁麻黄甘草 二母散 治產后淤血留在肝經故令咳嗽 知母貝母各二ㄨ桃仁杏仁人參茯苓各一ㄨ吉更五味各二分水煎服

泄瀉

或罨泄瀉痛腸鳴吞渴滋彭讓毛顛、胃虛特排六君吏添猪澤倍分買安、六君子湯 人參一ㄨ茯苓二ㄨ白朮二ㄨ炙草一ㄨ陳皮二ㄨ半夏一ㄨ加猪苓澤瀉 調中湯 治產后腸鳴泄瀉 良姜白芍白朮茯苓各一ㄨ香附當歸川芎炙草各五分姜三片水煎 氣虛濡膝胃寒、庄固渴滋湯兄理中生姜肉桂歸芎白朮炒共豆蔻加添、理中湯 人參白朮乾姜各二ㄨ

肺熱 生姜 肉桂 當歸 川芎各一ㄨ 加草豆蔻

帶鑌渃渴輸瘖意畏肺熱吏添鬱煩木通甘草黃連加紇車前活石爲湯

車前飲 治產后脉熱口渴泄活腸鳴 車前子 白芍 白朮 茯苓各一ㄨ 澤瀉 木通 黃連 活石 甘草 猪苓各五ㄨ

下痢

下痢赤白堆彖裏急後重腓強痢音香連化滯加參麥芽神曲滌苓木香

香連化滯湯 治產后下痢裏急後重赤白相雜痛腹 白芍一ㄨ 白朮 活石 當歸 人參 神曲 陳皮 酒芩 麥芽 黃連 檳榔 木香各五分 水煎服

骨痛

產后血走痢昌和命痢旦趁塘庄安之排趁痛湯煎寄生独活共緘合用

趁痛湯 牛膝酒浸 當歸酒洗 官桂 白朮 黃芪炙 独活 生姜各五分 薤白一ㄨ 加桑寄生

獨活桑寄生湯 独活三ㄨ 桑寄生 白芍 生地 當歸 杜仲 牛膝

頭風

細辛 蓁艽 茯苓 桂枝 人參 防風 川芎各三ㄨ 甘草

或畏㮽栖頭風吏之四味當歸芎苓蓁

四味當歸芎湯 川芎 當歸

霍亂 轉筋

荊芥 蓁艽 糊丸 白湯下

或畏霍轉乚亂筋膝痢渃渴沛旬㵾五苓肉桂澤朮二苓木吏湯

意吐停未安、五苓散 治霍乱茯苓 白朮 猪苓各三分 泽泻三分肉桂 姜三片 加味木瓜湯 治霍乱轉筋木瓜 茱萸各二乂 茴香 紫

苏 甘草各一乂、姜煎、脆筋踬冷属寒理中附子添乾姜熊、附子理中湯 人參 白朮 附子 乾姜 炙甘草 或加肉桂

喘氣（喘逆）

產后喘息庄消意症肺絶用料滉丹、荔遶益母澤蘭倍尋暫爆貝丸

腫症

買鍼、反滉丹 即益母丸、已見上、產后浮腫咨連踬、緬泥礞寔鍼症危、補虛蒼朮加

熊買四君子黑姜加剧、四君子 人參 白朮 茯苓 炙草 加蒼朮炒、又 補益湯 治產后一切雜症大補氣血兩虛為主

人參 白朮各一乂、川芎 當歸 黄芪 陳皮各五分 甘草三乂 姜湯 產后啞嘿息咨芪丞半夏

虛腫加蒼朮茯苓、虛熱加黑乾姜、実熱加酒芩

嘔吐（呕）

紅排仙方、芪丞散 治產母嘔吐 赤芍 泽兰叶 半夏姜汁炒 陳皮 人參各一乂 甘草炙五分 姜三片 桔梗半夏湯 治產后嘔吐

脚氣

吉更半夏 陳皮 生姜 產后脚氣二旬昌堆踬弋筆產強筋膝、吐湯續命連稱買排

五積湯蘇吏安、小續命湯　防風肉桂　杏仁黄芩　芍藥甘草　人参川芎各三ツ姜水煎　五散積　白芷川芎　白芍當歸
茯苓甘草桂心各二ツ厚朴乾姜八分只壳五分
吉梗八分半夏二分蒼朮七分姜葱加當歸木瓜大腹子
附方　高良薑散　治産后厥冷吐咗疙
良姜當歸草豆蔻
右爲末茶　治妊娠小便澁少遂成淋症名曰子淋此方恐活石太重而活胎若臨月可
水送下　安榮散　服六月七月以前不用麥門通草活石人参細辛各二ツ當歸灯草甘草各刄
每服二文戊煎麥冬湯送下又一方活石灯草　柴苓湯　治胎瘧五月以上去半夏熱多寒少柴胡三ツ黄
車前子　芩二ツ人参一ツ半夏一ツ甘草四分猪苓泽左茯苓
各一ツ半
姜三片

産后昏迷

又

産后門　産后吏論朱涧固馭初産上攻運頭昏迷爺別之兜熠燻乾漆
吐蘸清魂　燻法　治産后血多暈悶不省用乾漆燒烟与首漆器燒置産婦面前　更用漆器燒
或以醋清製入以氣燻衝即醒急縮人中手提頂心髮灌童便姜汁
烟製清醋燻衝後服此藥　龐氏清魂散　荊芥穗炒四刄川芎泽蘭葉人参炙草八ツ每服
二ツ温服入童便湯下或茶水湯下

瘀血

僨症疠湲脆猑𠃣排失笑散丸意誇、失笑散 治產后心腹疼痛欲死名兒枕痛 蒲黃炒 五灵脂去土炒 平分醋熬成膏白湯

中風

中風痰咀嚼吐𠃣排古拜湯特豆顛、古拜湯 治產后中風禁口牙緊痰癱 荊芥穗不拘多少為末每服二ソ黑豆炒黑煮湯下

大豆子湯 治產后中風角弓反張口禁涎潮 黑豆半斤炒令焦黑候烟起 以無灰酒灌之入磁內每用此酒半斤入独活二ソ同煎温服 蹎𩈘掂急要慣

瘻弱

意風瘻症十全血風、十全大補湯 治陰陽兩虛 人參 黃芪 白芍 茯苓 甘草 當歸 白朮 熟地 川芎 肉桂 麥冬 五味各七分 姜棗水煎 欺生庄押𦇒拢

血風湯、治產后諸風瘻弱筋症 秦艽 羌活 防風 白芷 川芎 芍藥 白朮 當歸 熟地 茯苓 半夏 黃芪蜜炒 等味為末蜜丸温酒湯下

乳痛

底剛𩈘𩈘頭疼熱強撻外龍腦尋莊吐𣎏玉露群剛特帝、玉露飲 當歸二ソ三分 川芎五分 白芍一ソ半 人參一ソ 茯苓一ソ 白芷五ソ 桔梗炒五ソ 甘草二ソ 水煎 如煩熱大便秘、加大黃一ソ三分 如乳脉不行結成

癰腫疼痛加 黃芪蜜炒三ソ半 當歸 金銀花各二ソ半 水煎入酒湯下 𣹓恒熜𠊛極搖、漏蘆湯飲淘𠀧滌罨

敗亡　發熱　洒汗

漏芦湯　治乳汁不通腫痛　漏芦　瓜蔞寔各三ㄨ　蟬蜕五ㄨ
一方蟬蜕煅五條為末每服二ㄨ酒湯送下仍食熱羹助之　迷心敗血如邪蛄㫚朦体
鬼魔吶唄排調經意爻敗色違朱旺即特特安　小調經湯　治敗血積久變為浮腫并産后乱血譫語
當歸　赤芍　桂心各一兩　沒藥另研　琥珀另研　甘草各一ㄨ　疾頭肄冽傍徨昌痂自汗滛湯参
射香另研　細辛各五ㄨ　散末　童便入酒姜汁調服
芪、人参當歸湯　治産后去血过多血虛則陰虛陰虛生血熱令人心煩短氣自汗頭痛症
熟地　當歸　人参　肉桂　麥冬　白芍各一ㄨ　入艾葉五ㄨ　水煎温服
當歸黃芪湯　治産后去血过多腰痛身熱自汗
當歸二ㄨ　黃芪炙三ㄨ　白芍一ㄨ半　水煎　血虛肄冽爻敗小柴四物令為效台
四物合小柴湯　治産后陰虛不足發熱增寒日輕夜重　柴胡　黃芩　人参　国㫚人泄法輸㫚
茯苓　甘草　去羔　加熟地　當歸　川芎　白芍
熱邪症意用剔君参　四君合四苓湯　人参　茯苓　白朮炒　甘草　小便𦇒諾渴𩐢
猪苓　澤泻
熱泄症意㐌停木通　木通湯　治小便不通　木通　麻子仁　葵子　滑石　𠄩膝庄渴小𩐢
兵郎　只殼各二ㄨ半　甘草五ㄨ　水煎

挾寒、疟意調中湯丸　調中湯 治產后胃寒、腸鳴泄法、良姜 白芍 白朮 茯苓各一ツ、香附 當歸 川芎 甘草炙各五分 姜三片 水煎服

下痢

下痢赤白堆塘裏急後重爬常病陰黄連湯意諸吐助產后痢古今法傳

香連湯、木香 滑石各一ツ 黄連酒炒一ツ半 白朮炒 白芍酒炒各一ツ 甘草五分 水煎

木香湯 治產后下痢赤白皆效 木香 神曲 炙香附 川芎 當歸 白芍酒炒 茯苓 陳皮炒 等分水煎 不思飲食加砂仁、小便不利加澤左

霍亂

霍亂轉筋攣逢落渴労煩用五苓方、五苓散 茯苓 白朮 猪苓各二分 澤左二分 肉桂 姜三片 發狂加神砂、陶氏方加滑石 山之梔

產后走注弋昌身痛直強趁痛強稽 趁痛湯 牛夕酒浸、當歸酒洗 白朮土炒五分 薤白一ツ 桑寄生炒 官桂 黄芪炙 獨活 生姜各五分、水煎服 加

頭暈

掭頭、擺麵芝欺加味四物芎歸助難 加味四物湯 治產后頭痛 黄芪蜜炙 人參 白朮 陳皮 升麻 柴胡 細辛 蔓荊子 當歸 蒿本各一ツ 甘草一ツ 生姜三片

四味芎歸湯 川芎 當歸 荊芥 秦艽 糊丸 白湯下

中寒

鎮痸冷汔中寒、少方四逆共丸理中　四逆湯、附子制 乾姜 炙甘 各五ツ 二ツ 川芎 麻黄 桂枝

理中湯、人參 白朮 二ツ 乾姜 炙甘草 二ツ

回症噁嗎嗌悪糊哎庄特息衡肥苔以排抵聖甚䏻赤芍半夏製裹昌側生姜

抵聖散 赤芍 泽蘭葉 半夏姜炒 陳皮 人參六 甘草炙五分 姜

回欬瘦蔺齊萘四君加減異方神效 四君子湯加蒼朮炒

生退喘急庄消意症肺絶用料滗丹 反滗丹見上即益母丸

產后脚氣拘攣以小續命方眞吏調

小續命湯 見中風门 去麻黄石羔附子三味治產后脚氣 防風三八 肉桂 杏仁 黄芩 芍药 甘草 人參 川芎各三八 水煎服

附一方 治婦人常ヌ腸痛上下不定經年積血症 青皮 陳皮 三棱 莪朮 乾姜 芎分 陳皮 汤煎服

一方 治產后淤血不消腹痛小便不利飲食不進 川芎 當歸 木通 吉梗 甘草 霍香 紅花 只壳 砂仁 白芍 麥芽 山查 木香 香附 灯心 沉香 姜三片 厚朴 芎分 童便 酒 水煎服

一治胎漏并血崩症 白朮東土炒五八 熟地一兩炙 三七矩 炒末三八 水煎服 名之曰止漏絶神丹

小兒科

意婴彈厄科猳雞計自𨖲買蜄忍蓮初生甘草黃連林呬未雞方仙妙用

拭兒口法 小兒初生啼聲未出急用綿裹手指蘸生甘草汁夏時加黃連汁拭兒口出内去其穢悪稍定又以蜜調硃砂一字拭入口中即觧其毒 漘湯益母底烘

浸未猳雞樂防瘡痍 浴兒法 採益母草清水煎生下浴之 或罡覔雞直啼㾦ヲ哭吙嶋𧘇庄𠸦

灯花研買乳清調未奴吐𤅶𠸦神通 治直啼 用灯花三顆為末以清乳水化下 三活散 治小兒初生因驚受風邪直啼 姜活独活各二ソ共柳榔麻黃甘草各二分水煎服 或南星為末蜜調顖門顱 朝歆哭扶如柊吐貟保命乳沖湯和

保命丹 治小兒直啼及驚風 全蝎十四个防風南星蟬蜕姜蚕天麻琥珀各二ソ白附神砂各二ソ射香炒加牛黃片腦一分一方加姜活為末粳米飯丸如皂角子金箔為衣初生半丸乳汁下廿歲以上二丸鈎藤灯心湯下 或荊荷金銀花葉湯下 口唇嗽呬痞罨㾦𣇞哭吙𢚸卑庄閉蜜蝓塗買黃連共保

疳

命散方仙妙用、保命散 治小兒口瘡 枯礬一ソ硃砂一ソ馬牙硝五分為末每服一ソ白鵞米調敷之 小兒客忤駭雄或

罡 桊膀空龍氣邪、哭吽不省魂花𠃅膏辟邪買麝香丹、辟邪膏 降真香白膠沉香虎

頭鬼箭羽竜胆草人參茯苓雄黃各五ソ射香一ソ蜜丸如梧子每服一丸乳汁湯 射香丹 治小兒中風悪氣雄黃一ソ射香一分乳香一分為末刺鷄冠血灌之 驚風懒

惈隊干、捻䇽驚扶痰涎喁唯嘮膝哪啞嚦趍意症驚急欒特朱毛壽星保命

丹年吐湯敗毒貝侯定驚 壽星湯 治急驚 胆星 防風 白附 蟬蛻 蒲荷 甘草 等分水煎 加味敗毒湯 依本方加天麻全蝎

白附姜蚕地骨皮姜水煎、慢脾嗎哓灰醒𩑈䇽懒扶𥞪撑命寒、腥脾朱吐寬又四君附子

買安胃脾、腥脾散 治慢驚 人參 白朮 茯苓 炙草 天麻 白附 全蝎 姜蚕 姜棗 水煎 加味四君湯 治驚風吐瀉斥冷 人參白朮

茯苓 乾姜 蒼朮 姜湿 各五分 製附三分 姜棗、 小兒疳積𠊛稽朱嘍朱乳𢶢皮吭嗜、積𢀭五臟𡌿嫩、

脩鍼燶拿𤻻疴胋胗筋韡膝脹哥罢瘖腮瘰鬍症陀危台消疳退熱方

𡰴肥兒丸意效齊䊷仙、消疳退熱湯（山梔炒 白芍炒 黃連 白朮炒 茯苓 澤瀉各一錢、青皮 史君子 兵榔 甘草各五分、姜棗水煎）肥兒丸

黃連炒 神曲炒各一兩、麥芽炒 肉豆蔻煨 史君子各五錢、兵榔 木香各二錢、為末、牛胆汁糊丸、如麻子大、每服三十丸、米飯水湯。小兒丸磅𣴓𨔈偷𦓡燶洌庄安

㤅旺湯淨府煎𠠩貝員取癖朱通小便、六膏貼癖塗連搗消散毒磅連𠇍𢀭

淨府丸（茯苓 澤瀉各二錢、柴胡 黃芩 半夏 白朮 三棱 莪朮 山查各一錢、人參 豬苓 黃連各五錢、姜棗）取癖丸（甘遂 芫花 辣桂 牽牛 莪朮 五靈脂 木香各三錢、入巴豆去油二錢、白麪糊丸、如麻子大、每服三丸、姜蜜湯、泄後冷粥和胃）其癖自除、貼癖膏（硝黄二錢、大黄 朴硝 山枝 石灰各一錢、酒一碗、鷄子搗成膏、貼塊上）小兒丹毒𥠄台𣴓

罢曾祖如齊盃輪和𠓨燶奶盆闌𧿆𪖫瘢癥庄安怯帝硝黄㳶瀝、六膏塗

外朱𢚸𤷍色臟宮旺湯消毒飲風升麻乾葛合用吏安　大黄膏（塗小兒火丹、大黄 朴硝等分為末水）

研數患死 犀角消毒飲 牛旁一ソ犀角黄芩甘草各五ソ防風升麻各三ソ荆芥穗二ソ姜三片水煎服 升麻葛根湯 升麻葛根白朮甘草連翹防風荆芥水煎

下痢

小兒下痢論 盤蕫𡏧赤白渚滇路途或畧氣似勃糊或畧仍鄭痢𢷀隊畨旺湯化滯香連貝排小駐𠃣貝強效 清熱化滯湯 白芍一ソ黄芩黄連茯苓陳皮只殻各等分大黄兵榔甘草各五分水煎磨木香調服

小駐車丸 黄連六分乾姜一ソ當歸阿膠各三ソ為末醋糊丸如麻子每服三十丸飯水湯 或畧澡沚𢯰朝意症泄洍渴滀工悪𠃣排白朮貝通神砂六一合共強𠱊 白朮湯 人參白朮茯苓甘草木香藿香各五ソ乾姜一ソ水煎 神砂六一湯 活石六ソ甘草五ソ神砂一ソ為末灯心湯 益元散 見中暑门

咳嗽

咳嗽些吏排計呼嘶痰㾓𤺩昂歐怙唉排九宝参蘇貝員亭歷垠呼止痰喘嘶滬𠀧庄淹旺員奪𠊛千金秘傳 九宝湯 治小兒咳嗽 紫蘇麻黄大腹皮桂枝薄荷陳皮桑白皮甘草烏枚等分姜煎 参蘇飲 人參紫蘇陳皮半夏前胡乾葛茯苓木香各七分陳皮只殻各五分甘草三分加

桑皮杏仁麻黄 葶藶丸 葶藶 黑牽 杏仁 防風各一分末肉丸如麻子大每服五十丸 姜湯送下 奪命丹 治小兒咳嗽喘急痰盛不得臥 青礞石煅為末蜜丸如菉豆大每服五丸薄荷葉湯下

小兒頭瘡連綿 瘖痕瘢瘢坤安咻哼尼方鱳䭾仙灵罡掃光散根經劉例 掃光散 治小兒頭瘡症 細辛一八口嚼爛水銀一八八内研罨角花椒一ソ為末香油調搽

瘖罨灰熾惺台渃炉尋沼外危塗膏 香油膏 黄連黄柏芎分為末香油調搽或加雄黄尤妙 胡葵子膏 伏竜肝 烏竜尾 胡葵子黄、白礬 為末香油搽内服防風通聖散

防風通聖散 防風當歸川芎赤芍大黄、硭硝連翹薄荷麻黄各三分石羔黄芩桔梗各五分滑石一ソ荊芥白朮山梔甘草各一ソ姜葱煎或去硝黄加蟬蛻苦參白姜蚕、

小兒虫痛病孫𠫾浪病艳鱳朱庄陳干病沼湋貿恨吏漆啞嗎閟唆吼嗷追虫方意年牢迻平君子研高劢歇 追虫散 治小兒腹痛吐沫 史君子二ソ兵榔一ソ雄黄三分為末練根皮取水煎膏去渣取汁為丸蜜湯空心服

蚯蚓丸 以土龍子去首尾并土全性炒香為末每服二ソ以白蘓煎湯空心服

大便秸凭紇檑傍鍼病脿庄吹息滀旺湯

汶藥散尼褢通特積病剔連安　汶藥湯　治小兒腹痛便閉胸脹氣喘　汶藥　大黄、只莧　吉梗各一ㄨ　木香　甘草各五ㄨ　水煎服

小兒腫滿浮連頭痂泥鑤小便庄通、以五皮散吐鄣吏加桑白木通陳皮、五皮散　治小兒浮腫症　五加皮　大腹皮　茯苓皮　地骨皮　生姜皮　加黄姜　木瓜　一方加陳皮　桑白皮

戊灰滲濕淫虎、意畀盗汗小兒辱固猪心芝片調均共排牡蠣固分收功　猪心湯　治小兒盗汗　人參　當還各一ㄨ半　猪心一片入等藥煎服以猪心食之　牡蠣湯　牡蠣三ㄨ、黄芪各五ㄨ　水煎服外用五倍子嚥津液調膏塗小兒臍中一宿極妙或加何首烏

小兒外感傷風鑤命抜鰠頭疼、呼盆人參独活煎温戊畀入裏添灤大黄、人參独活湯　前胡　柴胡　姜活　独活　只莧　吉梗　人參　茯苓

吏論發熱悋悚脂晶爣奶小腸爣陰連翹前子灯心木通瞿麥黄、苓山梔吏添犀角骨皮柴胡乾葛甘遂荆防、治小兒發熱、連翹　車前子　灯心　木通　瞿麥　黄苓　黒山梔　地骨皮　柴胡　乾葛　犀角　甘草　荆芥　當還　防風　芋分煎服

附雜病諸方　加味保和丸　治虛弱之人腹中積聚癖塊脹滿疼痛面黃肌瘦肚大青筋不思飲食此藥消痰利氣扶脾助胃調胸快腸消磨除脹清熱消食久服積塊漸消大效　白朮土炒五两　只实炒一两　陳皮去白炒三两　半夏姜炒三两　白茯苓三两　蒼朮米泔浸炒二两　香附酒炒一两　神曲炒　山查炭各三两　萊菔子　連翹各二两　黃連酒炒　黃芩酒炒　三棱　莪朮俱醋炒各一两　木香五钱　各味為末姜汁糊丸如梧子大每服五十丸　彼加服七八十丸　食後白湯送下

一治腹痛經年不愈　馬糞炒黑三两　只实炒黄一两　姜糊丸如梧子大每服三十丸姜湯下

一治長樂症（六瘻六瘤）　神應散

輕粉　鷄内黄心　射香　冰片　黄柏各二钱　粉草　五倍子　黄連各二钱　右為末先用甘草　苦參　猪苓　薄荷　白芷　防風　荆芥煎水洗淨將葉莖猪胆調爍之又以沿吊洗外又以蕈様樓婆桐杣欄搽外

長樂内飲方　蕈核　改棱炒黄　甘草各一两　更株一斤　黑豆炒黑一两　荆芥一两　金銀花一两　水煎溫服　外塗蕈柿一把或杣末　脯柿一个炒黄　皂角十子燒　蒲完果八子燒取壳去核　蜈蚣二子燒　四味燒灰散末入麻油同煮成膏塗入痛处　先用芙葉　槐葉　芽菜葉煮水每一日洗

又一方取鷄卵鑿孔去白心將蜈蚣一条置入卵内燒化為炭散末　以茴香七葉七个　丁香七花　神砂　雄黄各五钱為末混入麻油煮之將出和龍腦少許調塗痛处

一治發背疽并長樂　蟬蜕三钱　紀鄉荘三钱　雄黄五钱　蟾蜍一子　以肉豐肝燒存性散末三钱　石信　以土龍糞色外

烧化為炭散末少許調入油煑最久　病人食忌　猪肉犬肉海蟹粘粥花病巳三年忌六个月
将出又和竜脳少許塗入痛処　一年忌二个月五年忌五个月

一治疥瘡各症　雄黄紅丹大茴桂枝等分散末調入水油煑塗各痛処
洗淨後以藥塗之又以猪直苔
内心粘入痛処取虫出

治廣虫症　石鹸一ツ黄柏一刄雄黄一刄白礬皰半刄右各味為末先以橙葉水

治楊枚症　沙参四ツ白朮黄芪地楡白芷黄柏只実阿膠ノ各四ツ白参四ツ牛必四ツ独活三ツ木瓜一刄防風二ツ防巳二ツ南参二ツ砂仁一ツ
細辛二ツ橘皮二ツ史君三ツ茴香四ツ玄参四ツ赤参三ツ續断三ツ川芎三ツ條草二ツ木香一ツ党参二ツ
怀山二ツ姜活三ツ黄連四ツ車前子三ツ木通三ツ龍胆草二ツ連翹三ツ沢左三ツ遠尾四ツ姜五斤水煎服

熖藥　龍脳一刄白礬一刄水銀五ツ石信五ツ
射香一ツ白生五ツ天花粉一ツ塩在下

一治小兒瘡瘩症　五倍子白礬飛密陀僧清黄　黒礬塗之

治楊枚去根方　土茯参五ツ米水浸炒去大蜈蚣長首尾四个穿山甲五ツ姜麻三ツ
遠尾一刄羚羊角六ツ神砂二ツ朱砂二ツ雄黄二ツ

附補益諸方

長生丹　主治気血虚益脾胃烏鬚髪堅筋骨延年多子　何首烏一斤忌鉄咀咬
粗片米水浸晒乾用乳汁拌三次晒乾木白鳩枣肉為丸如梧子大每服
五十丸空心塩湯下

長壽丸　大熟地八刄山藥炒四刄山茱酒炒四刄　麦冬去心炒二刄　益智仁一刄
白茯参去皮三刄丹皮酒焙三刄益智仁如小便赤濁加沢左去益智仁

長生固本酒　人參　甘州杞子　山藥　大棗肉　天冬　麥冬　生地　熟地各一兩　右各味用絹袋入好酒十五鍾入罎內封口密置入鍋中水煮二時取出埋淨処三日以去火毒清晨午後各服一盞　忌食葱蒜

僊酒方　治寒濕止痺痛筋骨　蒼朮二兩　杞子　當歸　川芎　白芍　陳皮　天麻　牛膝各四兩　五加皮　杜仲　半夏　肉桂　脱瘢沙　桔梗　白芷　木瓜各五乂　各味浸酒如前法

徐國公浸酒方　定精神悅顏色　龍眼肉八兩　好酒六鍾入壜內浸三日每服二盞　空心服

以上補益凡五方

海外漢文古醫籍精選叢書·第三輯

刺絡編

〔日〕荻野元凱 撰

内容提要

《刺絡編》是日本頗具代表性的刺絡療法專著，初刊於寶曆十三年（一七六三）。此書由荻野元凱折衷中醫經典《黄帝内經》所載刺絡法與荷蘭瀉血法，彙聚中西刺絡之精華編撰而成。其記載的刺絡理論與技術方法兩方面均已相對成熟，爲刺絡法的發展與普及做出了一定貢獻，至今仍有較高的臨床參考價值。

一 作者與成書

《刺絡編》正文首葉題署「日本北陸荻元凱子元著」，卷末標識「門人陸奥木村恒德子慎父……長崎林鼎子亨父同校」。又據書首高道昂「刺絡編序」中所載，荻野元凱「尋又聞和蘭善刺絡，則每歲從和蘭入貢受刺絡。和蘭，西洋遠國，其言侏離，其書旁行，唯依傳譯……是子元所以盻盻爲急也。乃識譯長某氏，某氏輒奉牛酒交歡，譯長手使口授，以至進乎技者數十條，録而成編。後之説刺絡，蓋自此始」。書後陸奥木恒德跋載：「然吾荻先生嘗嘆刺絡之喪，世或不知也。專據《素》《靈》，旁考蠻法，論次研尋，作《刺絡編》。」

由上可知，《刺絡編》一書爲日本醫者荻野元凱依據《黄帝内經》，旁參荷蘭刺絡法，折衷漢蘭醫學刺絡之術編著而成。荷蘭，日本當時稱其爲「和蘭」，本書正文中又稱之爲「紅毛」「紅夷」。

荻野元凱（一七三七—一八〇六），又作「荻元凱」，是折衷漢醫及蘭方醫學的漢蘭折衷家，字子元，名元凱，號台州、鳩峰，通稱左仲，金澤人。據本書高道昂序，元凱出身醫學世家，其家世爲小兒醫。元凱因有感於「醫門多疾，屢滿户外」，遂立志「務廣業名其家」，夜以繼日，發奮讀書，并四處求學。「既聞不學《易》無以知陰陽，則從博士家受《易》；不學物産無以辨藥石，則從某處學物産；聞某子甲善針砭，則就而受業某氏；聞越前奥良築主吐法，其術傾郡，則就受業良築。」元凱曾師從奥村良築（一六八六—一七六〇）學習吐法，并得到長崎通詞（翻譯）、醫家吉雄耕牛和楢林鎮山的指導，在研究《黄帝内經》刺絡法的基礎上，探究荷蘭刺絡療法。元凱在北陸（今屬日本富山、石川、福井三縣）時醫名已盛，後還京都行醫，聲譽愈高。寬政六年（一七九四），因治皇子之病有功，出任醫官典藥大允。寬政九年（一七九七）抵江户，在多紀家主持的醫學館主講吴又可《温疫論》。寬政十年（一七九八），任尚藥、河内守。元凱還曾從事過人體解剖研究，如明和八年（一七七一）他與河口信仁一起解剖男尸。其著作有《吐法編》《刺絡編》《經驗方選》《腹診論》《温疫餘論》等。

荻野元凱在卷首識語中交代了本書的成書經過。肥（今屬日本長崎、佐賀、熊本縣一帶）人岩雄達曾師事長崎翻譯、荷蘭流外科大家吉雄耕牛，向他學習荷蘭瘍醫術與荷蘭刺絡法。元凱聞聽雄達所傳荷蘭刺絡法，又得閲其筆記，認爲與《黄帝内經》所論刺絡方法相通，於是在雄達荷蘭刺絡法筆記的基礎上，演繹編撰紅毛針書。之後，雄達跟隨元凱學醫，在朝夕相處的過程中，元凱認爲雄達所行荷蘭刺絡法，與其筆記所載間有小异，於是持之就教於吉雄耕牛。吉雄子出具西洋之書，元凱乃「詳悉其事，淄澠方兮，疑怚頓解。因采之所勝，裁新所聞，較諸經説，徵諸患人，纍稔易稿，又作《刺絡編》」。

書首統論前也交代了荻野元凱研習刺絡法的經過：元凱先是「覃思焦神，學刺絡之方」，但「不敢恣意下針，蹇澀彌年」；後因彈鼻治矇、刺膕已痁，多有效驗，「於是乎復信斯術不可措而委地也」；之後，得見譯司吉雄、楢林二子，聽聞荷蘭醫能行刺絡術，乃虚心觀察荷蘭刺絡法，「精該審諦，退而省之」；最終得出結論，荷蘭刺絡法與《黄帝内經》所論刺絡法有相合之處，因「間起其未發，闡其未盡，經肯綮，探膏肓，操術之妙，頗出人意表」。

綜合以上信息，又據《刺絡編》卷首元凱識語及正文開篇所載可知，元凱曾鑽研《針經》「取奇邪在血絡」之説，認識到血絡的重要功能以及鬱邪阻於血絡導致的疾病後果。但由於《針經》中并未明確記載相關的治法及具體的操作，導致「後世徒是半存，弊梗不行，説無所駕，傳失其統，則刺絡之方幾乎拂地，人不知其所嚮」。有感於此，元凱「思索經旨，而取絡邪於絡」，學習刺絡之方。之後，聽聞荷蘭人擅長刺絡，遂留心學習，曾作紅毛針書，後又向吉雄、楢林二人求教，對荷蘭刺絡術的認識進一步加深，於是折衷漢蘭醫學的刺絡方法，在寶曆十三年（一七六三）編成《刺絡編》一書。

二　主要内容

《刺絡編》是日本刺絡術的代表著作之一。此書不分卷一册。書中首先陳述著書動機、經過以及研究漢蘭刺絡法的經歷，其次分八項論述刺絡理論，再次按部位不同列述九種具體刺絡方法以及三種特殊刺絡方法，最後例舉刺絡效案十三則。

第一，在書首的「刺絡編序」「識語」及正文開篇，記述了荻野元凱編撰此書的初衷及鑽研《針經》刺絡與學習荷蘭刺絡的經歷。

第二，依次從統論、血絡、論血、達鬱、針目、刺法、刺變和刺禁八方面，詳細論述了刺絡的基礎理論、血絡選取、針具應用、針刺方法、刺絡禁忌、注意事項及刺變急救等。這部分是荻野元凱刺絡論的核心内容。

統論，主要闡述刺絡原理及其重要性，言：「血絡者，血之道路也……利則滲營四體，鬱則决溢泛濫，瘀爲衃血，化爲腐水，害不可勝殫焉。若一處鬱結而塞，則百骸皆不利，其鬱於絡脉，非針放發之，何除之有？」然後引據《黄帝内經》，以大禹治水比喻刺絡療病。

血絡，依據荷蘭西書列述人體絡脉組成以及刺絡常用血絡。書中將絡脉分爲氣絡與血絡兩種：氣絡，「出肘中下廉，細如針，是爲通氣之道，總主頭中疾，刺之血不多出」；血絡，「巨如箸，是爲血行之道，原皆發於心臓，依於骨髓，布散上下，達於指端」，并指出血絡不可與經脉、陰經混淆。可刺而出血的血絡主要有頭部血絡、眼瞼血絡、膕中血絡、足頭血絡、足小趾血絡、肛周血絡、舌下血絡、陰莖血絡等。部分血絡列述血絡走行或刺絡主病，前者如頭部血絡，「上絡頭項，下出於肘中上廉」；後者如肛周血絡，「主胸痹鬱滯，肛門疼痛，及女子不月産難」。

論血，强調應視血絡「盛而堅、張而濁、纍纍有結者而瀉之。牢韌如按弦者，爲濁血；柔軟如按葱者，精血也」。從出血色味診斷病情，如「血淡而微鹹者爲虚家」。刺絡應「能察證之虚實，度毒之多寡，當刺之證而刺之」，出血量因人因病而异，以無損精血爲度。

達鬱，轉引《黄帝内經》的理論，指出刺絡「必視人之盛衰、毒之緩急，參伍相照，而後應從事於此」，特意指出「視血者取之，則於其刺之，不可强合於絡之部分」。

針目，列舉荻野元凱刺絡所用鈹針、機針、韭葉針、三棱縫針四種針具，論述其應用方法、適應病證，并附針形圖四幅，且概括刺絡選針要領爲「擇針之方，鋭利淡淡焉，經物而物不疾，刺肌而肌不覺，乃可將用」。針對當時醫界盛行應用銀針之風，元凱認爲鐵針無毒，刺絡可選用鐵製之針。

刺法，指出刺絡「宜側針逆而取之」，針刺大血絡時須將綿布緊扎刺處上際，「其臨取之，預備石膽、礬石及參、連、三黄等應不虞之物，以資緩急」。强調「若刺血不出，勿更刺之」。刺絡時，先令患者口含冷水，血止而吐水，若中途吐水則代表患者脱氣。

刺變，指出「刺變無常態，學者宜觸類長之」，列舉蒼蒼然色脱、誤刺動脉血出不止等十餘種刺變及其急救方法。

刺禁，指出「疾必不可刺也，亦不可無刺也」，强調刺絡「必先察其形氣，審其要害，能説其情，彼是相得，必應刺而刺之」，列舉出動脉與溜脉、腰脊、氣逆上衝者、陰晦寒冷等十二種情形勿刺，感嘆刺血之難行。

第三，列述刺尺中、刺手背、刺膕中、刺少商、刺大敦、刺額上（含刺眼瞼）、刺鼻中、刺舌下、刺外腎等九種不同部位的刺絡方法，以及抓針、蜞針、角法三種特殊的刺絡方法，是荻野元凱臨床刺絡所應用的具體方法。其中，抓針法，不同於他法之直執鈹針，而是「斜執鈹針，輕輕抓瘡上，縱横出血而傅膏藥」；蜞針法，則利用水蛭代針；角法，「擇鈹針、韭葉針刺破患處，取綿花若樟腦，着之硝子中而放火，急合刺上」。每種具體刺絡方法，列述刺法與主病，部分刺絡法附有圖示。多用縛綿緊扎刺絡上端，以防血出不止。

第四，列舉刺絡效案十三例。正如荻野元凱識語所言：「卷末顯效案若干則，以備考證。」十三例效案絶大多數爲元凱本人治驗，另有吉雄耕牛、荷蘭醫生醫案各一例。所應用到的刺絡方法有刺額上法四例、刺尺中法二例、刺膕中法二例、抓針法一例、角法一例、刺鼻中法一例、刺足頭血絡一例、刺足部青紫筋一例。醫案中多爲刺絡療法與其他治法同用，如：「家婢二人，一時同病眼，胬肉四合，翳障漠漠不敢開，腫痛難禁，熱泪交下，及夜諸證轉甚。診之脉證俱實，因内與凉膈加減方，外於項下以角法取血再三，疼痛隨除，翳障漸散。」

可見，《刺絡編》首先記載著述本書的過程，其後論述刺絡理論與技術，最後列舉十三例效案。本書作爲日本近世專論刺絡治療的著作，雖篇幅短小，但刺絡理論詳備，操作技術成熟，并得到實踐驗證，具有較高的臨床實用價值。

三 特色與價值

在江户時代，日本刺絡療法進入一個新的發展時期，涌現出一批杰出的刺絡醫家，荻野元凱即爲其中非常重要的一位代表。《刺絡編》折衷以《黄帝内經》爲基礎的刺絡療法及荷蘭醫學的瀉血療法，在理論與臨床兩方面爲刺絡法的發展與普及做出了貢獻。

在理論上，元凱匯通《黄帝内經》與西洋之書，夯實刺絡理論基礎。如在本書統論中，元凱在《黄帝内經》所言「菀陳則除之」「血實者决之」「實則瀉之，虚則補之，必先去其血脉而後調之」的基礎之上，結合己見，點明刺絡法的重要性。文中多處引用西洋書中的刺絡理論，如血絡項下闡述西洋書關於絡脉的分類以及蘭醫刺絡瀉血的常用血絡。又如論血項下引「西書曰：血淡而微鹹者，爲虚家；濃而大鹹者，爲實家；滑濁而微酸者，爲濕；鹹而微辛者，爲熱；色黯味澀，爲有大熱；凡血色紫黯而無氣，爲衃血；鮮絳有臊臭，乃精血。宜認此爲紀綱。刺之唯傍流，不能射」。如此論述，有利於醫家將中醫經典理論與西方醫學進行比較，并能開拓視野，增廣見聞。縱觀《刺絡編》全書，荻野元凱折衷參合荷蘭瀉血法及中醫經典《黄帝内經》中的刺絡法，從中得出了一些新的見解。例如，在「效案」項言「一處達鬱，百骸皆利」，主張用刺絡而不拘虚實，以達鬱爲主要目的，通過達一處之鬱，改善全身氣血的流通而治療疾病，由此擴大了刺絡療法的治病範圍。

在臨床實踐中，元凱參合荷蘭瀉血法，將《黄帝内經》刺絡術發揚光大。書中介紹了刺尺中、刺手背、刺膕中、刺額上、刺鼻中、刺舌下、刺外腎、抓針、蜞針、角法等十二種具體刺絡方法，多首先詳述操作方法，次列主治病證，至今仍有很高的臨床實踐價值。對於針具的應用，蘭醫刺絡多用鈹針，如書中刺法項下載：「余效紅毛刺絡法，輒用鈹針，百無一失。」元凱本人主要應用鈹針、機針、三棱縫針、韭葉針四種針具，并總結出臨床選用針具的原則。其中，機針爲彈簧式機械針，是荷蘭人常用的瀉血工具；因慮及施用三棱針後創口難以愈合，元凱又自創韭葉針以解决此問題。本書應用刺絡法并不僅限於針刺出血，還將針刺與拔罐結合，以達到出血療病的目的，如角法的應用；又利用馬蜞（水蛭）或吸毒石來治療疾病，詳見蜞針法。元凱注重臨床刺絡安全，書中反復提及刺絡注意事項、防範措施、禁忌問題以及出現意外的救治方法。元凱在臨證療病時，視病情需要，常將刺絡療法與内服、外敷藥物等其他治療方法同時施用，以達到較好的治愈效果。本書最後所附十三則刺絡醫案，涉及内、外、婦、兒及五官等各科疾病，可供讀者參考借鑒。

綜上所述，荻野元凱折衷以《黄帝内經》爲基礎的刺絡療法與荷蘭醫學的瀉血療法，編著《刺絡編》一書，具體論述刺絡的理論、方法，并附效案以資驗證。書中所載刺絡理論經元凱多年臨證實踐後已經相當系統完備，臨床刺絡操作方法與技術也已相對成熟，推動了日本刺絡法的普及與發展，對現今臨床應用刺血療法仍然具有參考價值。

四 版本情况

《刺絡編》現有二種刻本及一種鈔本傳世。其中，寶曆十三年（一七六三）刻本，現藏於日本静嘉堂文庫；明和八年辛卯（一七七一）刻本，現藏於静嘉堂文庫、京都大學圖書館富士川文庫、早稻田大學圖書館、東京大學圖書館鄂軒文庫、東北大學圖書館狩野文庫、日本大學圖書館富士川文庫、杏雨書屋、乾乾齋文庫、無窮會神習文庫、礫川堂文庫等處。❶ 此外，中國浙江中醫藥大學圖書館藏有此

❶ 〔日〕日本國書研究室.國書總目録：第四卷[M].東京：岩波書店，一九七七：六一六.

書的一個鈔本。

本次影印所用底本，爲日本京都大學圖書館所藏明和八年辛卯（一七七一）刻本。此本藏書號爲「富士川本/シ663」。不分卷一册。四眼裝幀。書皮題「刺絡編　台州園隨筆」，説明此本是荻野元凱《台州園隨筆》叢書中的一部。無扉葉。書首有明和七年庚寅（一七七〇）夏四月伊勢高道昂「刺絡編序」及同年仲春荻野元凱識語。書後有陸奥木恒德跋。書末有「明和八年辛卯冬十二月/皇都書林/二條通東洞院東江入丁/林伊兵衛」的刊刻牌記。四周單邊，烏絲欄。正文每半葉九行，行二十字，注文雙行。版心白口，上單黑魚尾或白魚尾。書口上部刻「刺絡編」書名，中部鐫葉碼，下部書「台州園藏版」五字。

總之，《刺絡編》爲日本刺絡法的代表著作之一。作者荻野元凱折衷以《黄帝内經》爲基礎的刺絡療法及荷蘭醫學的瀉血療法，從中得出個人見解，在理論與技術兩方面都已相當成熟，頗具實用價值。今影印出版此書，希望能爲現代臨床施用刺絡法，在理論基礎與技術方法兩方面提供一定的參考借鑒。

韓素杰　蕭永芝　杜鳳娟　王文娟

絡編
台州園隨安
富士川本
ヒ
663

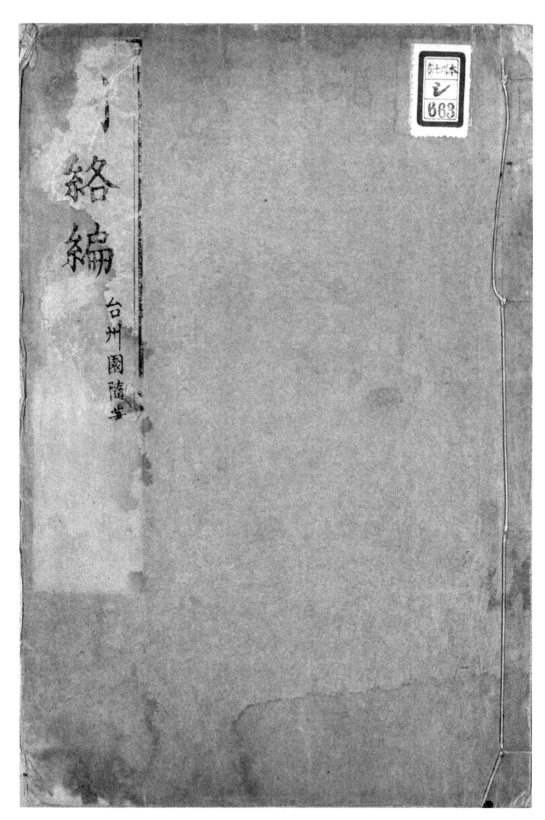

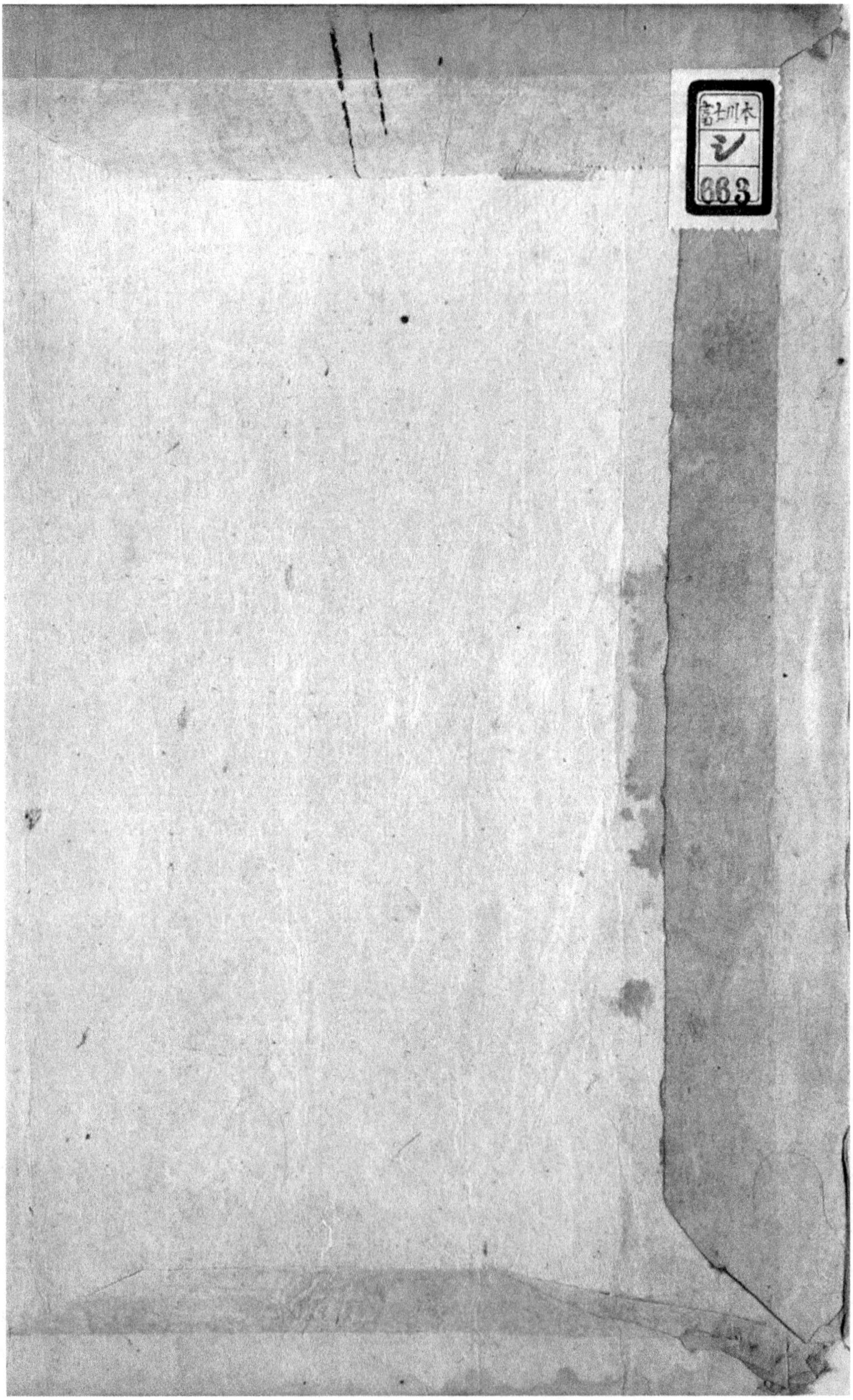
富士川本
シ
663

刺絡編序

夫醫之道乎[illegible]其有官之任也經絡血脈陰陽之經藏而存焉氣血為之所灌有淺之滅之存乎藏[illegible]之得小理者豈有他哉猶其[illegible]石取鐵鍼之取之也[illegible]

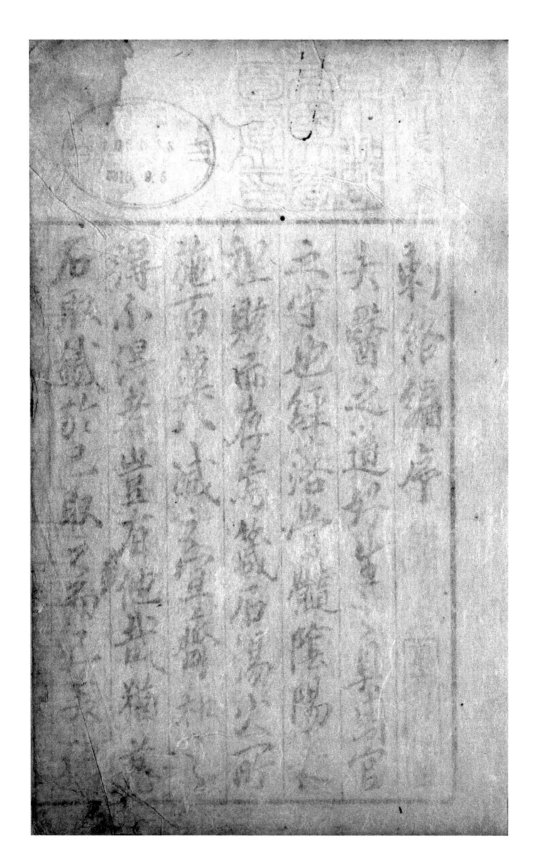

刺絡編序

夫醫之道好生之具周官之守也經落骨髓陰陽表裡臟腑而存焉箴石湯火所施百藥以減之宜齊和之得不得者豈有他哉猶慈石取鐵於己取之而已矣拙

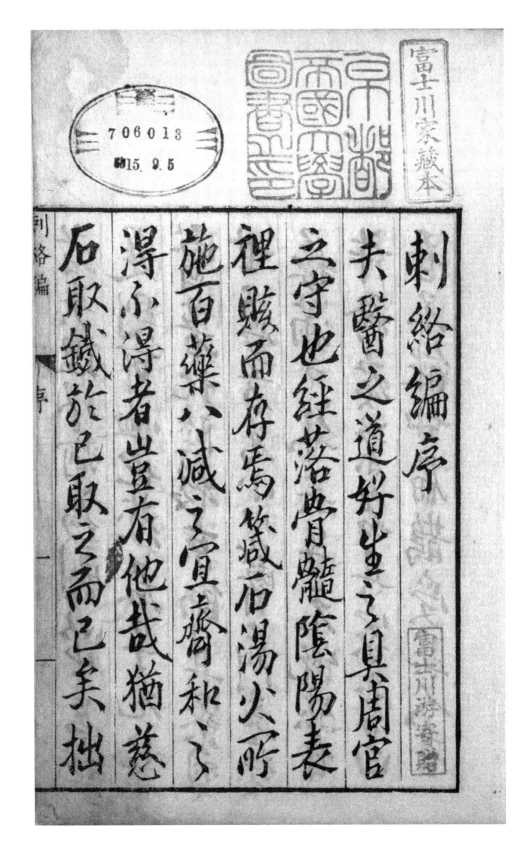

者失理以腧為劇以生為死
是則可恤也荻君子元以
醫著北陸移京師其家翁
世〻受方為小兒醫〻門多疾
屨滿戶外矣子元慨然自
許務廣業名其家嘗曰
吾不能如扁鵲受異人書

顧惟神農黄帝岐伯伊尹仲景之言具在即其人已矣吾第從輪扁求之乃胠篋徧讀諸書夜以繼日既聞不學易無以知陰陽則從博士家受易不學物産無以辨藥石則從其處

学物産聞某子甲善鍼砭
則就而受業某氏聞越
前奥良筑主吐法其術傾
郡則就受業良筑良筑
潯子元大驚請割藩知
以南聽子矣尋又聞和蘭
善刺絡則每歲從和蘭入

貢學刺絡和蘭西洋遠國
其言侏離其書旁行唯依
傳譯而譯者率進孰於我
竟不能得和蘭要領也辟
若以坤輿圖察四海相絫
過毫氂而閒獨數百里視
之若易行之甚難是予之元

所以脈之為急也迺識譯長
某氏某氏輙奉牛酒交驩
譯長手使口授以至進乎技
者數十條錄而成編後之說
刺絡蓋自此始所謂窮河
源睹昆侖也哉吁元盈自
喜請得鄙言取徵狂夫故

余述其勤動以復荻君趣
刋行焉
明和庚寅夏四月
伊勢高道昂譔

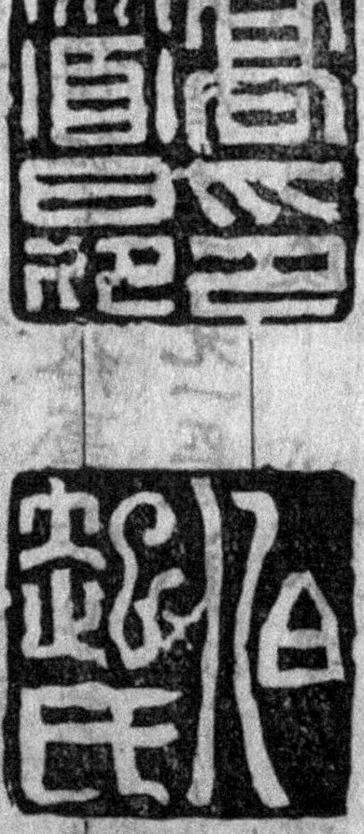

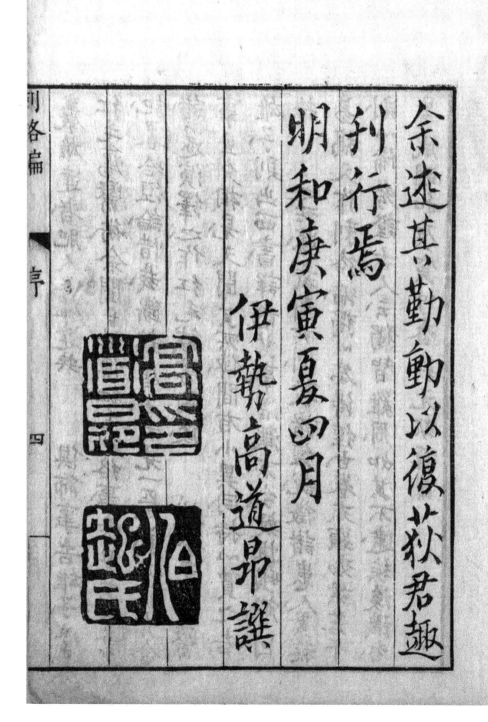

叢雄達者肥人也雄達與　俱師事吉雄子學紅毛瘍醫術余聞其所傳紅毛刺絡事旁見其所著記畧洽經論惜哉斷錦屑玉未見一匹之美亦孰肯舍諸遂演繹之作紅毛鍼書嗣後　貺余學疾醫事旦夕相見又聞其所傳間有小異同持以質之吉雄子則出西書詳悉其事淄澠方分疑怛頓解曰採　之所勝裁新所聞較諸經説徵諸患人累稔易稿又作刺絡編獨以為得經旨卷末顯効案若干則以備考證古人云獨智難周如其不逮竢後識者

是歳明和庚寅仲春荻元凱再識

刺絡編台州園隨筆之二

日本　北陸　荻元凱子元　著

余毎讀鍼經至取奇邪在血絡之説未嘗不慨然歎刺絡不講俾二豎闌入膏肓也盖血絡者血之所縁以流氣之所縁以通潛行皮肉間浮見於大表巨者如箸細者如鍼絡繹九竅綢繆百骸靡所不遍焉其衛護於人身内之筋骨外之經絡四維殊途而同歸樞之所管機之所繫中外奚擇焉鬱邪之為害處筋骨則深處經絡則淺含而不療迄禍梯已成如火燎

原不可嚮邇淺深奚擇焉經之論之職此之由其說
切而翔實善罄其情曲唯濾與術彼此隱見俱不精
覈後世徒是羊存弊梗不行說無所雋傳失其統則
刺絡之方幾乎拂地人不知其所嚮若遇其證藥治
而不爲反爲之辭詭言於是乎出怪說於是乎興斯
道愈徑庭如堅白之昧言雖善辯抵物則鑿終于益
於疾矣余居恒謂對脉有易醫之證而弗瘳索諸内
而不可尋諸外而不及百療不中獨何也非吾拙而
人能人亦難此則非吾與人均之拙也然則果不可

起之疾耶。抑治術有孑遺。而不知其方也。何則。躄者
非蹩躄而不行者。為不見也。聾者非喑啞而不畜者。
為不聞也。不畜不行。非彼所不能。以有不備於已者
也。苟瀍方不備。望為其疾。假使扁倉復起。未如之何
已。故利手巧目。不如拙規矩。謂瀍方也。況抱凡庸材
而遺其方。欲使痰痾起。誠難於使跛涉險哉。當今之
世。業醫者。何弗思索經肯而取絡邪於絡。却攻諸他
之為。猶之緣木求魚。不得其所。不亦然乎。余雖不敏
私衿邺世有非命而殤者。覃思焦神。學刺絡之方。而

慣習日淺適操斯術而臨之動眩其血多懾怖先之
疑殆是崩百慮蜂午不敢恣意丁鍼蹇澀彌年然至
如彈鼻治瞜刺膕已痁去血過多則疾辟亦速於是
乎復信斯術不可措而委地也孜孜汲汲索其秘蘊
涵泳其間久之値紅夷聘　武中便見譯司吉雄楢
林二子聞紅夷能此術因就聽之私視其所爲精該
審諦退而省之與經論不忒間起其未發闡其未盡
經肯綮探膏肓操術之妙頗出人意表所謂道之所
存雖蠻貊之邦何陋之有古昔聖哲之後或分處徼

塞外裔流極博古濮傳彼盍有由哉研覈多年血脉麤拆游鍼隨意所見未嘗見無邪之絡得手應心結解壅決鮮復有過矣顧是言也信者謂發古之緒蘊乎不信者謂首作俑乎學者三年謂不齒乎屠龍技是余之志也作刺絡編

統論

血絡者血之道路也猶地有川瀆水由之流血由之行利則滲營四體鬱則決溢沉濫瘀為衃血化為腐水害不可勝殫焉若一處鬱結而塞則百骸皆不利

台州園藏版

刺絡編

其鬱於絡脉非鍼放發之何除之有經曰菀陳則除之又曰血實者決之皆謂去血絡也夫取血絡者應眡魚沿肘中其脉青者爲寒爲痛赤者爲熱黑而盛者爲痺乍赤乍青乍黒者爲寒熱病則而寫之庶幾乎所謂瘀也者不行其與精血俱流行而不見者何也猶之瘀滞隨水勢乎欲其擿發之牢縛四肢令氣在其處則隂血周作張脉憤與瘀所居之處必自見焉既見則刺而取之經曰實則寫之虚則補之必先去其血脉而後調之古之人戚戚焉責絡非經輸之

此也何則血易實也叔世道鍼者但怯去血多忽擗血絡獨取經穴猶遡舍江水而遠鑿井也徒勞于益矣夫人身之血內聚自有源如泉之不涸疏則隨而湧若泉不湧不疏亦復涸耳當斯時鍼灸湯熨之將何益矣故原始詳實本其所結知其所壅鑿而疏之通利泉脉以防水害功在禹下者乎擬議失機悔而不及但老者血氣已衰少者血氣未壯壅溢絶少勿誤狀無辜而殤夭年無止則輕刺乎

血絡

台州園蔵版

西書（書名失哥貲的干姹兒蒲貲孤）曰。絡脉有二道。一名訶兒亞埵兒（訶兒譯空虛猶言氣亞埵兒又言亞獨兒譯筋猶言絡脉下皆倣此）出肘中下廉細如鍼。是為通氣之道。總主頭中。疾刺之血不多出。一名蒲兒烏篤亞埵兒（蒲兒烏篤又言蒲邏烏篤譯血）四表大絡巨如著。是為血行之道。原皆發于心。藏依於骨髓。布散上下。達于指端。其支派者。言訶烏孚篤亞埵兒（訶烏孚篤譯頭）上絡頭項。下出于肘中上廉。與里孚兒亞埵兒（里孚兒譯肝）迆會于尺澤。前入于合谷。又與嬰筋方行。沿于頰車。是言斯祿貲哥亞埵兒（斯祿貲哥譯食道猶言胃）又別夾下頷中靠眼大背之絡言阿鶴孚烏孤亞埵兒阿鶴譯眼孚烏孤譯緣猶言循眼瞼之絡主赤眼疼痛者又循下滙于膕中外廉之絡曰委陽總取太陽病逾于內踝散于大指言孚烏篤訶烏孚篤亞埵兒孚烏篤譯足其沿于小指之絡言姥烏獨兒亞埵兒姥烏獨兒譯母言此絡支泒多猶母生子多兒孫也此絡多支別餘波入于諸絡又環魄門者言斯歇姥亞埵兒斯歇姥譯蜘蛛言肛門襞積之形有似蜘蛛網故名斯歇姥主胸痺鬱滯肛門疼痛及女子不月產難又舌下夾柱之絡言吉吉訶兒斯亞埵兒吉吉訶兒斯譯蝦蟆言以舌下之絡似蝦外蟆領下故名猶林氏云一名歇捺刺涅捺

腎大絡言嚠辣哥祿孚亞埡兒嚠辣譯膣莖哥祿孚譯大皆可刺
而出血文詳見各條下又有奢乙涅烏譯細筋原發于
涅丸傳于骨節沿于藏府下通精道内有白汁如乳
湩即精髓也誤刺洩髓則令骨痿與筋相戾又經脉
言鶴祿普亞埡兒陰絡言瞖乙舌姥並與血絡殊塗
然姑舉其類欲來哲觸而長之

論血

血絡之行上下無定處與其支派者交散如垂楊横
邪本發於胸腹出于四支散于指端人人有小異道

路不一同善脈其盛而堅張而濁累累有結者而寫
之牢朒如按弦者爲濁血柔輭如按葱者精血也大
概肥人多汁少血瘠者反之女子多血男兒不如可
豫圖其多寡攝其要領刺令適宜若有羨不足却遺
之害凡血氣倶盛而陰氣多者血滑刺之則射衂血
先出精血隨之奔逆之間嘗試之宜辨精疵色味
以知病情由西書曰血淡而微鹹者爲虚家濃而大
鹹者爲實家滑濁而微酸者爲濕鹹而微辛者爲熱
色黯味澀爲有大熱凡血色紫黯而無氣爲衂血鮮

絡有臊臭乃精血宜認此爲紕綢刺之唯傍流不能
射其絡盛而勁黑而濁乃陽氣畜積者也屢刺竟飛
逆若久不寫血滋稽留發爲痺爲懈惰爲徧癈或刺
之有血出汁別其人肥胖而絡洸故有宿水也久則
爲腫爲魘或新飲而液未合和於血者亦汁別也又
有其汁淖澤如脂者乃濁血所化成也凡壯人取血
以重得百錢若百二十錢爲率濁血一合重凡百錢許勿誤過
損精血經曰補寫無過其度但毒劇者不在其列取
至四五百錢亦不妨血盡而止能察證之虛實度毒

之多寡當刺之證而刺之苟有過令人益不信夫不信不可行也豈可不愼哉

達鬱

經云經脉十二絡脉十五絡有陰陽陽絡行皮表陰絡行皮裏陽絡浮絡即血脉也見而血者取而瀉之經之取之必由絡脉苟如於絡莫不取之地者然概論據之唯趣其詔恐泥矣必祇人之盛衰毒之緩急參伍相照而後應從事於此若彼動脉及失榮委中毒等濫加鍼不死即危矣扁鵲曰不知脉理之腠血

氣之分妄刺而無益於疾傷肌膚而已矣今之用鍼
鮮過者倖也衆人不得其職宜矣哉所謂絡有十五
隨經之位置而設之名要其本一也所謂眡血者取
之則於其刺之不可強合於絡之部分也明矣扁鵲
曰攻於腠理絶邪氣故癰疽不得成形不趍據絡已
隨鬱之所在逆而取之所謂鬱之所在未必由於絡
則所以於刺無定處亦可知也諸擁腫風毒等其尤
著者也頃余療木舌從瀼刺舌柱之絡血不出眡舌
上血者取而瘳之又有人病眼瀼取太陽陽明余刺

大椎之傍多瘳之類皆就其毒而刺之已自非讀素
靈明經絡輸穴而臨事焉知刺之臧否哉

鍼目

凡用鍼以鈹鍼爲佳紅夷言蘭脊貫妲是也俗訛言蘭脊
妲有大小數品可以刺諸癰腫血脉所用不一彼取
大膿自有專科且措不議夫除血脉肌膚將綿纏鍼
露鋒分許以中指抵住鍼頭可定意而刺之直發勿
款斜恐鍼口大闊難歛收近紅夷齋來斯撻背晋兒
者乃機鍼也内設機巧臨用發樞鍼鋒迸射直入皮

裹勢如鳥銃外有程準淺深隨意莫有過傷之失而
疵痛之患亦可時用但三稜鍼痏開作人字有難收
之敝余爲制一鍼如韭葉樣者以換之以管爲率彈
而取之屢試勝三稜鍼之絶矣亦可與鈹鍼錯用又
有三稜縫鍼本爲金創設之亦可以挑發小毒也夫
擇鍼之方銳利淡淡焉經物而物不疾刺肌而肌不
覺迺可將用知痛則氣併爲恐毒難除郭右陶諸人
云鐵有毒宜用銀間有用銀鍼者蓋銀柔鈍人不禁
其疾孰與其銀而痛鐵之不痛也余故用鐵鍼恒末

見其爲害也昔扁鵲治虢太子使子陽厲鍼盖鑱鍼也未聞以銀造之也寧纖鋒之微安論毒之有無唯要毒之易除耳

鈹鍼圖

三稜縫鍼圖

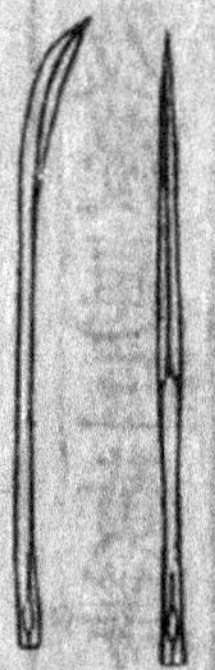

機鍼圖

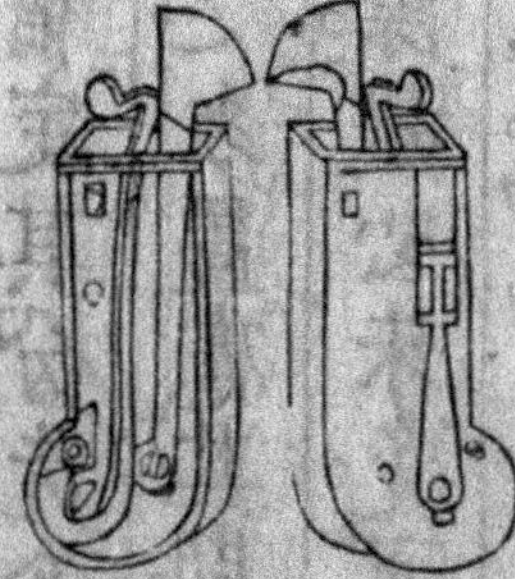

韭葉鍼圖

刺瀼

台州園藏版

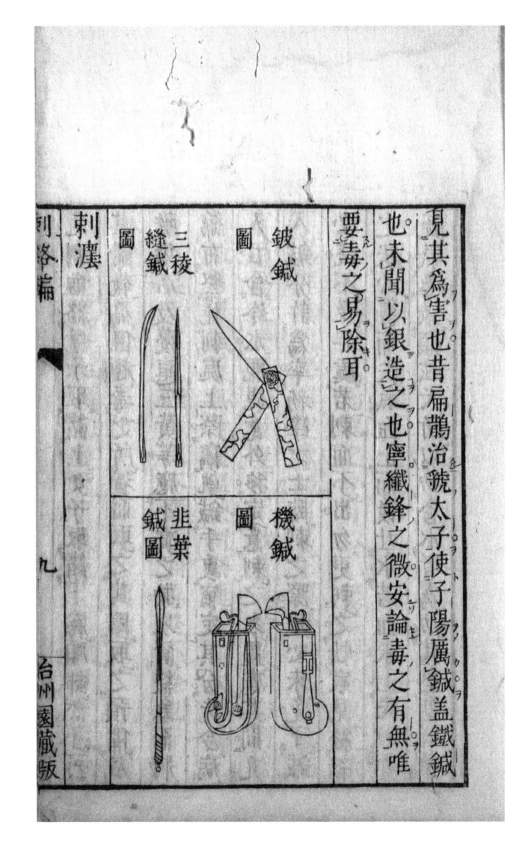

凡刺血絡男子取諸上女子取諸下爲順雖然不可
甚滯執爲但趣毒之所看而取之其臨取之預備石
膽礬石及蔆連三黄等應不虞之物以資緩急而將
綿布緊札刺處上際竊執鍼手裹宿定其分先令病
人口含冷水覗覘意外移定意刺之勿置慮其間凡
入鍼分許爲率初學之士臨刺之際疑心未免下鍼
必淺不及要處若刺血不出勿更刺之怯家見紛紜
之狀必讋而失氣血止而後吐水若血未止先吐亦
脱氣恐致顛眩夫所以初含水者爲防其皇皇脱氣

也但壯人不含亦可所謂刺淺不抵絡則血不出深刺貫絡則肉傷血不止橫刺絶絡縱刺剖絡則難歛口也宜側鍼逆而取之今有以三稜鍼彈而取之未可爲經典夫絡内空虛鍼自易下彈勢割然深没間有過傷之失用鍼者豈可不致慮焉余效紅毛刺絡瀼輒用鈹鍼百無一失但欲刺際捷敏而次序端正嘈然狠動四坐雜沓標本難相得毒終不除也

刺變

眂血脉之盛而刺之血虛者脱氣小而短者少氣少

氣與脫氣微則瞀悶劇則仆不得言宜急令坐之若扛就閒室而將息弗復者以水潠面漬足不可上踝又將蠻製硇砂嗅之硇砂紅毛名撒兒過兒姥尼亞失方別録諸失血家瀼皆同此又刺有血難出者痏腫而核起強刺則煩悗以氣先行也有衂血逆出无幾頃止者爲氣併也有蒼蒼然色脫者爲精氣俱无也宜急停之與煮茶一口又有當血出之際胸腹懊憹嘔嘔欲吐者將惛悶之兆也急弛縛綿解見下項可依瀼止血唯痺者精氣俱有餘縱令血多出而无害矣然痺有虛有實宜審詳求

之勿敢輕取之又有血出至一二升者後必暴熱惛悶而死禍不旋踵急與撒濾即濃煎湯若可挽回若血脉伏而不露者以手緊擦必在懸陽若垂手頻顫一如鳥搏乃緊縛則盛張牢刎取其有結處而寫之若誤刺動脉上血出不止微則血盡肉弩而死亦不可濟也三黄瀉心湯主之（方見金匱要畧）夫刺變無常態學者宜觸類長之

刺禁

血絡致鍼必先察其形氣審其要害能說其情彼是

相得必應刺而刺之苟心裏有一點疑慮者勿刺雖形盛氣怯者勿刺動脉與溜脉勿刺脉度急數者勿刺腰脊勿刺外有微熱者勿刺氣逆上衝者勿刺諸亡血虛家勿刺癩痺有水氣者勿刺新醉新飽新驚怒者勿刺形氣復常更審乃刺之陰晦寒冷勿刺血不多出諸病屬於內者勿刺雖刺難及諸貴豪家縱使信已勿容易出乎口不啻側目恐反疏焉況塗人乎刺絡之難行其如此哉夫鍼之與灸其施諸人身至於傷體膚刺焫何擇焉然於其爲用各自不同經

曰絡滿經虛灸陰刺陽經滿絡虛刺陰灸陽刺焫殊塗豈翅霄壤乎然一槩信灸而不信鍼者獨何也得非以眼不常馴視之故耶夫灸焫之失害不頓發鍼則得失即見是以人不知灸之有害却畏見血不亦惑乎當今之士僅窺一斑於全豹持膚淺術臨不測疾以爲眼中莫不可刺之人不亦耳食者乎貽禍無窮豈不憫哉故余謂疾必不可刺也亦不可無刺也只能反覆素靈透參晩近至紙爛華絶始可與言鍼已矣

刺尺中瀍寸口後至肘言尺

凡刺尺中令患人憑胡牀是爲正法但令端坐亦佳眠尺中有血者將縛綿緊札肘後寸所綿布長二尺四寸濶一寸可以縛札四肢是名曰縛綿下言縛綿者皆倣此近海船携來蔦兒湼結背手蔦者可紮定四肢及頸項亦便具也圖見于後伏滿握杖而用力絡脉皆張醫以左手逆按其絡抵血結處乃加鍼未追舉鍼濁血輙迸出豫備磁罷接受之磁宜白磁資辨血色以量血數令患家手裹運轉其杖血便易出數足欲停止則解縛綿放杖令力弛即止因以拇指捺痏痕令併鍼口以壓綿浸苦酒以壓定鍼

處綿布方二寸摺爲四疊離浸歴定痏上是名曰歴綿下皆倣此以縛綿更纏縛之
緩急適宜戒手晬時即愈西書曰訶烏爭篤亞埵兒
主頭面膊臑之疾里爭兒亞埵兒主肩背疼痛振蹕
難屈伸或云欲多取血須刺兩脉會處余按紅夷直視其瀍耳只可
就血而取之焉
主病血實于上頭疼如舂徹有間斷連日不瘥徹者
目將矇或齒牙疼痛緣嬰筋連肩或血爲痰併膊臂
痏痛手重不舉痺而不伸肩胛壅滯内外療之不瘥
者雖絡脉不張亦可取壯年咳血吐血不止上盛而

口甘者可取頭面生瘡遠年不愈痼爲頑結外無寒熱發之不散下之于益者卒病氣急喘滿愦不知事瘛瘲振顫者中河豚毒惛昧不追與藥者瘰癧俠瘿成形未潰若潰者皆可刺而後與劑白屑疥癬同瀍耳聾非上實不通目盲不帶痛不明並多刺

刺手背瀍

西書手背之絡名斯祿貲哥亞埡兒前所謂與嬰刺筋方行者也

瀍與尺中同

西書云癇之爲疾畜

主病癎證喜悲無常者婦人姙娠惡阻者並主之

脾胃資發
及心肺肝、
上焦病也

尺中刺際圖

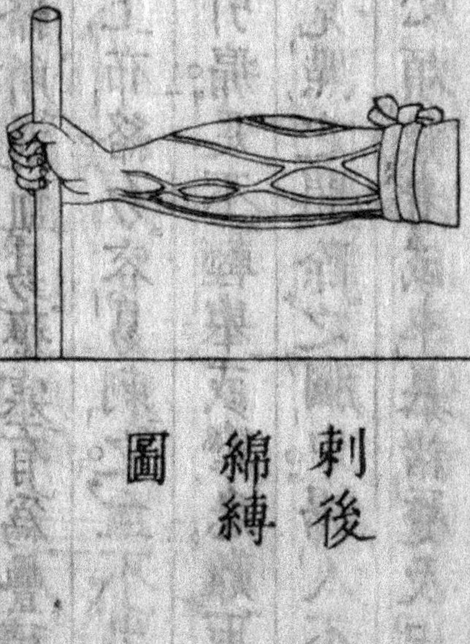

絡脉刺痕圖

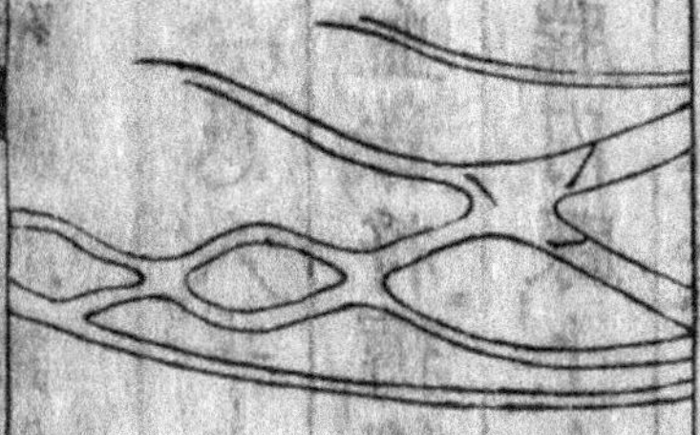

刺後綿縛圖

篤兒揑結貲篤圖

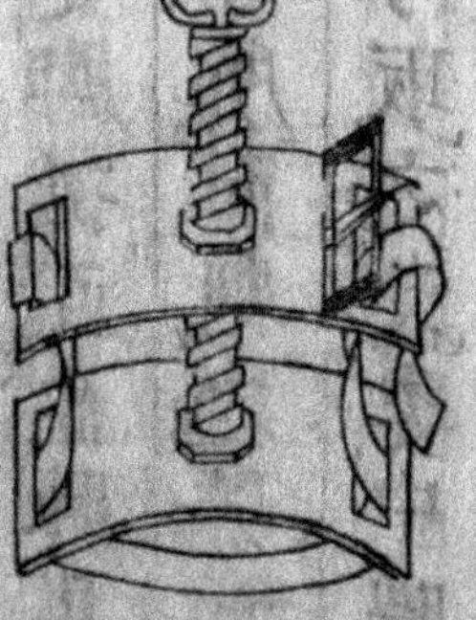

刺膕中瀍 附脚上諸處

凡刺膕中令患人平立雙手倚壁雙脚挺直血脉易張眡其有血者將縛綿緊紮膝上寸所而刺之紮如刺尺瀍但腨內踝上令坐而舒脚乃取之夫委中腨內踝上大絡所過血易壅塞有爲疊積是爲血實取之于害趺上布絡勿容易刺之血不出爲膧

主病腰股引痛足不輕舉或攣急難取步或痘瘮熱毒甚者至見黠之間除之膕中婦人不月產難脛時腫痛或足心煩熱者或卒暴諸癧及中暍口禁不知

人等疾皆取諸絡有血者。臃瘡梅毒痼聚於一處。或頑癬癢痛不可禁者。隨處取之。姙婦勿刺脚。刺脚則墮胎。

脚部背面血絡圖

側面血絡圖

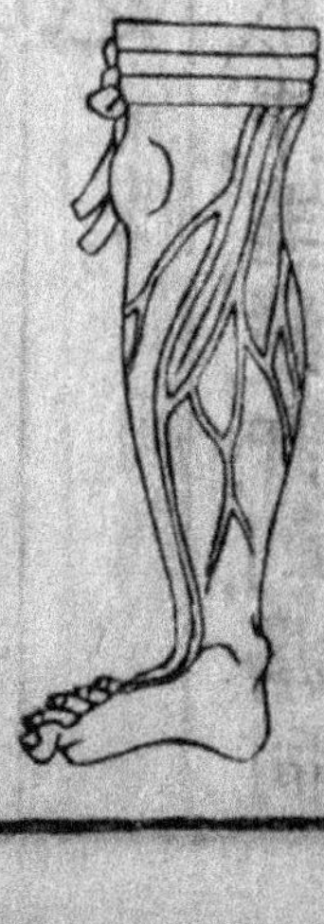

委中刺後綿縛圖

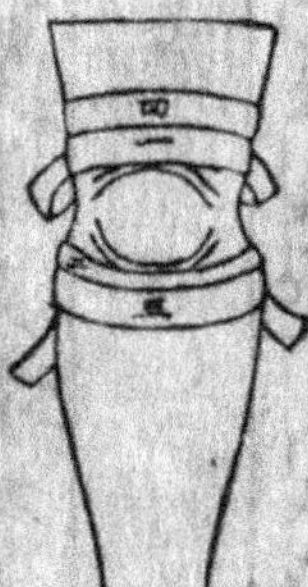

脛脚刺後綿縛圖

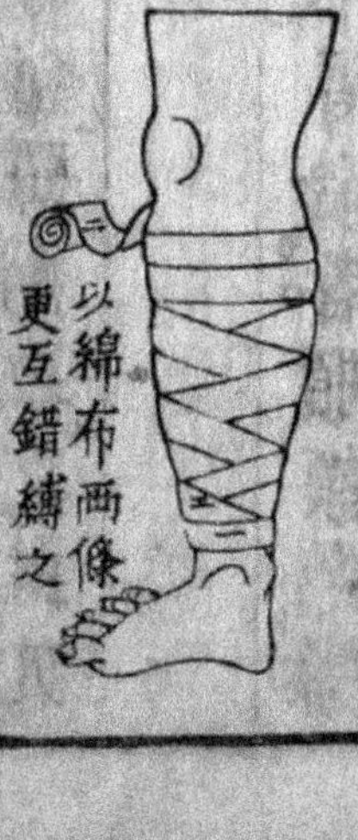

刺少商漊

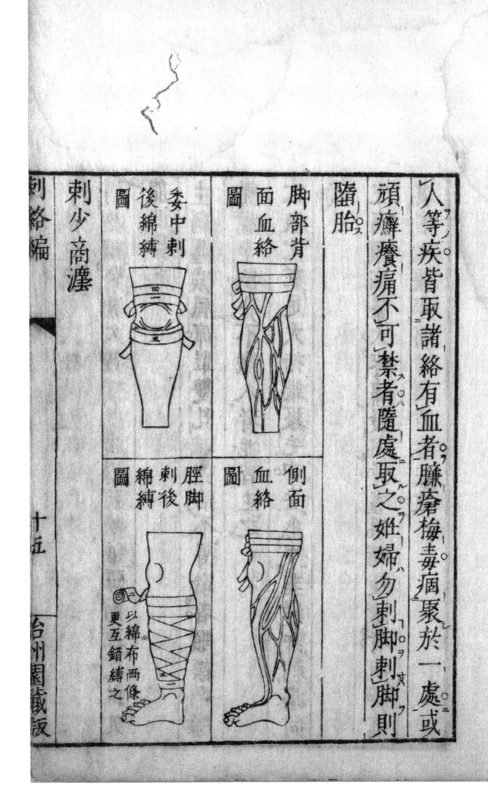

少商穴在手大指端內側去爪甲韭葉許白肉之際将細線緊紮大指横紋處以韭葉鍼彈而取之此穴能洩鬱熱

主病纏喉風痺單雙乳蛾諸治不得驗者顋頷懸癰驚癇卒倒昏不識人者並皆主之

大敦穴在足大指端聚毛中去爪甲韭葉許刺灋同前

主病頹疝睾大疼痛發熱者雀眼晡後矇者痟渴痛甚者心腹卒痛汗出者並主之

刺額上瀍

西書額上血絡名謁搽亞天訶烏兒藐見於正額其支別者分於項後出於兩角其刺之令患家將縛綿纏喉下手自紮定緩急適宜令氣息內絡脉即脹因輕輕點刺之血止傍流不奔迸也諸刺頭面瀍皆倣此若非大毒不以縛綿亦可

主病頭腦重痛大熱譫語或氣結鬱悶狀如癇證發作有時情態不一者取之於額之兩岐赤眼疼痛兩角重痛者取之於兩角若偏痛者取之於偏

又循眼内眥之絡言阿鶴孚烏孤亞埡兒亦可微刺之然非血實絡起者勿刺經云溜脈是也

主病眼赤焮痛胬肉遮睛羞明不仰視者主之又有爛瞼以抓鍼濼取之瞼内濼見下項

頭面血絡圖

刺後綿縛圖

刺鼻中濼

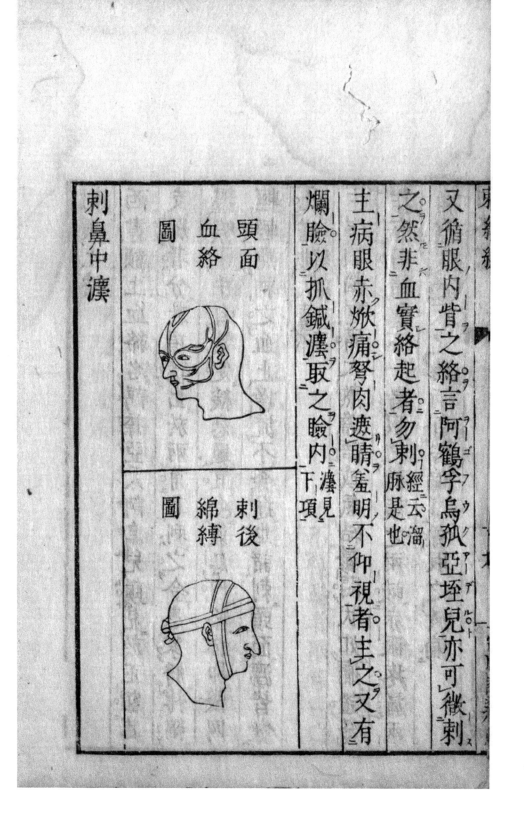

鼻中於睛明下取之其瀍搵取稈稭剪爲寸半令端
尖將彈鼻中血出如濺預備磁罷接受之怯家勿令
見血恐顛
主病赤眼連頷腫痛不可禁或及腦苦痛者主之
刺舌下瀍
舌下左右挾柱之絡是言吉吉訶兒斯亞埵兒有疾
應刺之證其絡必盛撟舌取之鍼宜以鈹鍼韭葉鍼
輕輕微刺之血若不止口含嚴酢頻漱若摻龍骨礬
石等亦佳

主病咽喉腫痛及舌瘡木舌重舌腫脹滿口等證並主之又言語不正者取之舌柱又卒死雖九候已絕天樞有動者以三稜縫鍼可刺舌心間有蘇者

刺外腎瀍

外腎取血將細線紮定莖根紛紜之間脉絡勃如見其債與而取之一如刺舌瀍

主病疳毒爲瘡腫痛難禁及無故莖張大者主之

抓鍼瀍

疥癬臁瘡等浸淫毒在皮腠者乘其發癢斜執鈹鍼

輕輕抓搔上縱橫出血而傅膏藥若此數回以瘳爲
度經曰癢者陽也淺刺之是之謂也設令毒劇壅湊
而堅者深刺取之不成形而已若已膿化眂其能熟
鑿而取之

蜞鍼灋

凡用蜞鍼不熱不咂故先摩挲其處極令熇熇熱將
竹筒盛馬蜞合之俟其咬咂乃徹筒候血滿腹中剪
刀截尾則血從其處涓涓滴出毒盡將除以鹽點其
口委肅即脫此灋與鍼不相涉然抵取血則一也亦

可施於難刺之地也又有吸毒石蠻名斯衞盧斯鬪印能與蜞鍼相似但真物絶少極難得耳

角灋

角毒取之擇鈹鍼韭葉鍼刺破患處取綿花若樟腦着之硝子中而放火急合刺上火氣吸血其狀玲瓏洞見於外覗血止按其傍奪而脱之又毒擁於皮裏不表見於外隱慝爲害者初不用鍼先角患處則毒之所潛必浮見於表眡其所在而刺之更角之則血易去且無徒傷之失也紅夷是言傍篤烏姫又有奢

貲通捺亞兒獨其瀍於大椎上橫刺貫馬尾傅貼枯
藥出臭水治之主目疾頭痛一切上逆疾
主病瘀血結聚肌膚紫黯動作不便者隨處取之赤
眼疼痛羞明艱澀肎胛痠重者並取於項下兩肎後
又可取諸瘡瘍

效案

京師車屋街有冄後屋某者曾患肎膊連痛手重不
舉作事妨悶數年也適值于紅夷東聘就治於吉
雄子公刺訶烏孚篤亞埑兒奪血二合餘所患頓除

不復發云

加州關門卒年過強仕病患頭疼怏怏無虛日劇則嘔不下食四肢厥逆遂眼生瞖膜不得覩物於十步陰晦殊甚艱澀涉有業已十年靡醫巫不已怨銀錢浪廢心已合灰然爲有妻孥移疾更役於京邸就治於余台州之園閲其血絡往往結爲珠子余曰疾本屬飲家血瘀亦不尠先攘其標而本次之乃刺尺澤上取血二合許血未止疾除大半翌旦眂之已除十八九因服藥二旬所患總愈經曰先去血脉而後調

之是之謂也哉。
京極街有美濃屋某者其婢年向半百二月始覺股脚隱隱微痛嗣後稍甚起坐不便傭物而後行因循至于五月投治於余眡之爭烏篤訶烏爭篤之絡疊重從委中沿膝下因去血一合許試令起則能起令行則能行縱横一隨意不日而復故云
所云丹後屋某之妻病患齒痛及其發呻呼動隣人一日劇發作請治因刺訶烏爭篤亞埵兒去血百有餘錢痛楚與血俱除又有肩背壅滯如負重之患亦

隨而瘳是謂一擧兩得乎
余頻年病雁來瘡脛脚糜爛巳及髖股癢痛無恒先期而發後期而瘥終少無事行步蹣跚登平原喘者不稀也籍藥治之力雖毒暫避舍厭然復還巧能窘我頗罷術計末何之如最後得抓鍼瀍乘其發癢鍼抓破瘡處去血許多癢止痛發則貼膏油若是數四内服解毒藥尤愼行步浹辰全愈不復假籃轝步履無恙云三條烏街有永樂屋某者癬毒發腰漫衍至脊中亦以此瀍治之

家婢二人一時同病眼努肉四合翳障漠漠不敢開
腫痛難禁熱涙交下及夜諸證轉甚診之脉證俱實
因内與涼膈加減方外於項下以角濮取血再三疼
痛隨除翳障漸散不日眼中無纖塵如青天見白日
較之前日眼光更明二婢相尋而已
浪華有醫高島氏者濹孝井之故舊也宿爲飲家往
年感寒之後卒致肘靠肩外疼痛不能屈伸舉之不
可過乳反之不可及脊側則痛激仰卧纔就眠百療
皆不利更醫三四毫無効焉適余與孝井遊于浪華

請診就而牴之血絡怒張肩背沿腕累累結如豆是爲血實經云血實決之不刺不瘳遂刺訶烏孚篤亞垤兒分許濁血與鍼齊飛迸家人懾悚旁言嘖嘖孝井云多怖疾之去也頃血止則痛亦止不俟時日反側無害屈伸如意數年痼疾一朝而除經云病猶結乎雖久猶可解也誠哉此言也

御幸街五條坊門有玉屋某者一日暴發熱頭疼如錐兩日夜乃熱漸解眼復腫痛珠如注朱羞明腌脖避在暗處不敢與人接語語則痛劇唯號呼耳拾介

請治就而診之六脉洪數熱皆湊眼殆乎將盲勢非藥治之所能及也急作梢鍼以彈鼻中左右各一痏血下如濺朱瞑隨而消猶雲霧從風冉冉散清盧漸明頭目爽然少選之間血復從上弦下倏忽滿目皆赤不能開因更彈之內與蔚黃散以洩上鬱如是七八日所苦卒除但目眶少澀痛耳因以膏油上之攝養將息乃愈

江州草津驛農夫之女歲十有九病右膝尨然臖尰痠疼枯削形如鶴膝父母不忍見醫療幾傾產終不

效寸効莅苒已二三年艱苦轉加去年四月遇紅夷
西歸途過其驛因私肥人請治於西醫醫名揚昌蘭斯塋訶貲篤
烏醫曰行路倉卒非謀治之所可共京舘宿息以診
恙狀既到于京師醫詳其病由以爲瘀血結聚之所
致也以譯傳之不月果三秋未見滴血也因設水一
盆令女架脚於其上以機鍼刺內踝前中封旁即孚烏篤
訶烏孚篤亞埵兒去血一合許以稛賓煎湯熨蒸膝以下試
令起而取步疾已除半內與藥脂方別録以鴉辣髮亞
煎湯下鴉辣髮亞譯白大黄此物能下蓄血其期明日而去其夜余據舌

人小川某與西醫接語言及其疾語見余隨筆中埜夜女復來又去血合許且與前藥乃囑曰服盡此藥厥疾必瘳但宜慎攝養恐異日變爲勞瘵爾後杳不聞其愈否

醍醐農夫之妻分娩後左脚疼重不能行一日余應他之招診疾其地因請視之狀如草津驛之女然較之良輕毒未痼僻唯太陰之絡僨與因刺委中一痏去血幾二百錢而愈婦舊有目疾亦從而已所謂一處達鬱百骸皆利豈不信哉

明和巳丑之春吉雄子介紅夷聘於　武中先期五六日暴憎寒壯熱身體疼痛煩躁且昏連進麻黄青龍葦苟無寸効寒熱依然諸證轉加衆醫失所措而驪駒臨門親戚胥謀曰期期不可愆將以人代之公曰斯役安不努力乃刺尺中一痏去血合許寒熱頓解飲食知味悉状良安遂竣事云余親聞之於京客舍經云風病巨鍼取之是謂之乎余徒山玄暢者感寒汗出而熱難解以爲邪在血脉自取委中去血亦愈

東山智恩精舍之側有中村某者其兒三歲夏五卒
直視上竄牙關緊閉四肢厥逆忙遽邀余臨其門兒
已逝矣親戚環而啼醫巫狼狽不知所措余詳診之
見兩脚有青紫筋片片如斷雲所謂落弓痧也可放
而已心計既決謂曰無深憂乃刺十痏許各出紫血
內與丸藥輕吐涎沫兒惕然而驚遽然而啼狀若欲
乳者舉家揚揚喜溢眉於是更與赤豆五物冷湯子
母俱服一旬而復故

四條堀川上有一孀婦歲四十強氣癖發少陽堅硬

骨腫形如蝦蟇稀膿常瀝痛亦不甚發則毒逆湊頭腦中潰亂臭水如濺困苦三年焉請治於余余令田子行先刺訶烏乎篤亞埵兒去血合許而灸焫之膏油之内投解毒化痰藥既而瘡口歛結核消毒不復上騰一日由大怒核復焮腫乃施此灋而愈

陸奥　木村恒德子慎父

門人　長崎　同校

長崎　林　鼎子亨父

刺絡編終

跋

昇平之世民飫德澤有餘於文耶学歐蘋於醫賤慣李朱遡泗往昔遵循舊訓古道之盛今斯時為然吾萩先生嘗嘆刺絡之衰世或不知也耑據素靈旁考鑾法論次研尋作刺絡編與疾痰於癈餘蹐人暉春之堂彼傚顰之徒不知刺有法度證有

當否濫執鍼臨疾甚者有瞽者行之何以辨形色豈不嘆乎然使人人知刺有法證有當而不能也適先生此書成余受而讀之法明說確以範四方使人鮮過則不仁政之一助乎哉是所請先生以公于世也

陸奥　木恒德謹識

明和八年辛卯冬十二月

二条通東洞院東江入丁

林伊兵衛

皇都書林

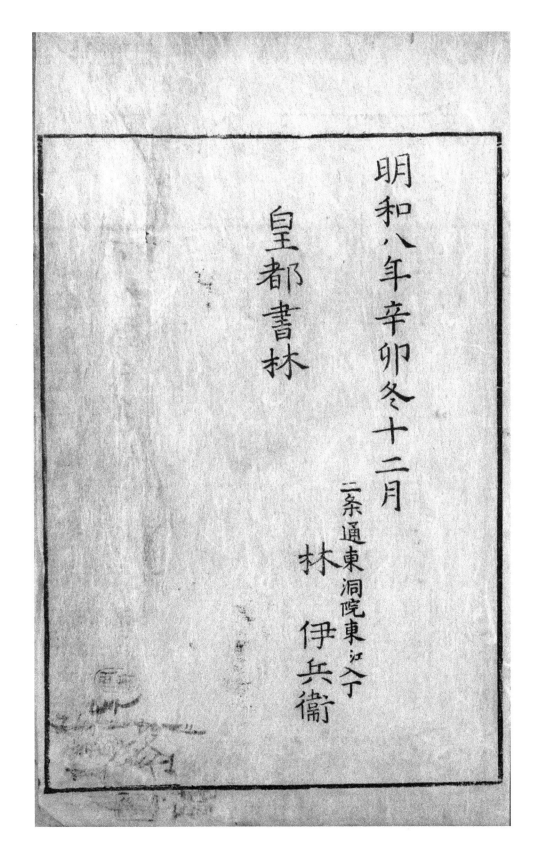

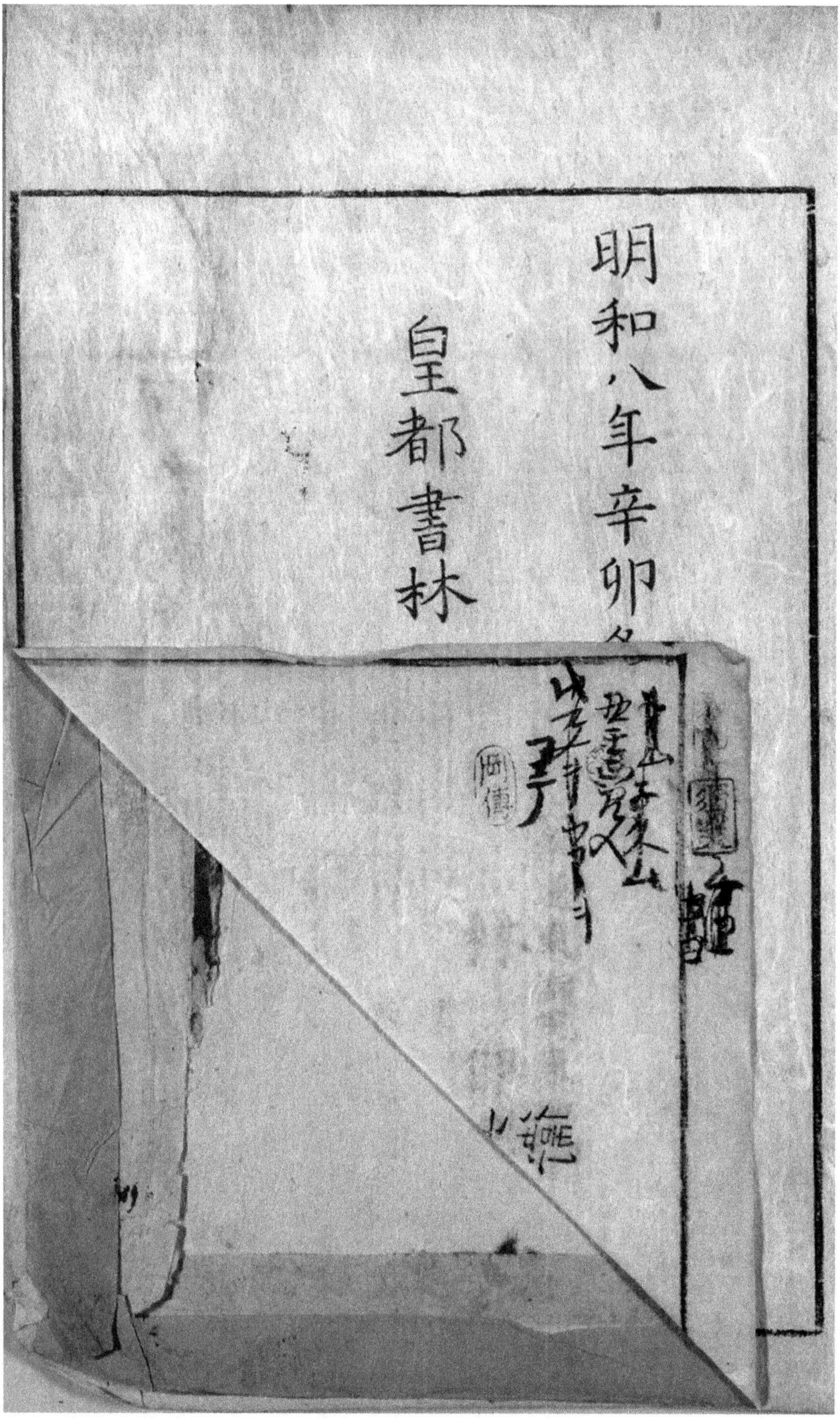
明和八年辛卯

皇都書林

（注：二七六葉展示二七五葉的背面文字，特此加葉。）